UNE SOCIÉTÉ DE VIOLEURS ?

Le crime était presque sexuel, et autres essais de casuistique juridique, Paris EPEL, 2002 ; Flammarion, coll. « Champs », 2003.

Pense les droits de la naissance, Paris , PUF, 2002.

Qu'avez-vous fait de la libération sexuelle ?, Paris, Flammarion, 2002 ; Seuil, coll. « Points », 2007.

L'Empire du ventre. Pour une autre histoire de la maternité, Paris, Fayard, 2004.

Antimanuel d'éducation sexuelle, avec Patrice Maniglier, Paris, Bréal, 2005.

Bêtes et victimes, et autres chroniques de Libération, Paris, Stock, 2005.

Aimer tue, Paris, Stock, 2005.

Une journée dans la vie de Lionel Jospin, Paris, Fayard, 2006.

Par le trou de la serrure. Histoire de la pudeur publique, XIXe-XXIe siècle, Paris, Fayard, 2008.

De la pornographie en Amérique. La liberté d'expression à l'âge de la démocratie délibérative, Paris, Fayard, 2010.

Confessions d'une mangeuse de viande, Paris, Fayard, 2011.

Marcela Iacub

Une société de violeurs ?

Fayard

© Librairie Arthème Fayard, 2012.

ISBN : 978-2-213-66835-2
Conception de la couverture : Atelier Didier Thimonier

Préambule

Le principal intérêt de l'affaire du Sofitel est la curieuse opération politique dont elle a été l'objet. Dès son déclenchement, les mouvements féministes l'ont transformée en celle de l'impunité du viol en France. Pourtant, si ces accusations étaient justifiées jusqu'au milieu des années 1970, aujourd'hui la France est, avec la Grande-Bretagne et les États-Unis, le pays démocratique qui sanctionne ce crime le plus sévèrement et aussi le plus efficacement.

Pourquoi donc faire un tel procès au droit du viol ? Qu'est-ce que ces mouvements féministes, qui se sont tant exprimés depuis l'arrestation de l'ancien directeur général du FMI, lui reprochent-ils au juste ?

D'abord, ils ont combattu l'interprétation que la société et le droit français faisaient de ce crime. Pour ces groupes, le viol n'est pas le fait d'une minorité de malades et de sauvages leur permettant de jouir différemment que le commun des êtres humains du refus, de la souffrance, de la vulnérabilité ou de l'innocence de leurs victimes. Ils se sont attachés à présenter le viol comme un crime massif et ordinaire[1] ayant pour cause l'hégémonie politique que les hommes exercent sur les femmes : ils nous violent parce qu'ils nous dominent. Cela n'a rien à voir avec le fait que les hommes aient en moyenne une force physique supérieure à celle des femmes et qu'il leur soit relativement facile de les contraindre. La domination que ces mouvements dénoncent est de type psychologique et symbolique. Les hommes se prennent pour nos maîtres, et nous les croyons. Ils nous violent pour nous humilier, pour nous rappeler que nous ne sommes que des ressources sexuelles à leur disposition. Le viol serait l'acte de domination ultime ou maximale, car il est le plus grave de toute une série d'autres

---

1. C'est d'ailleurs le titre du livre de Nolwenn Weiler et Audrey Guiller, *Le Viol, un crime presque ordinaire* (Paris, Le Cherche Midi, 2011).

comportements violents de même nature visant à maintenir cette hégémonie : regards lubriques, propos déplacés, harcèlement, achat de services sexuels, pornographie, violences conjugales, discriminations salariales, pénurie de centres d'IVG. Ainsi, ce crime concernerait plus ou moins tous les hommes. Car si ces derniers ne participaient pas, dans leur écrasante majorité, à cette entreprise de domination, ces groupes féministes ne pourraient pas affirmer que nous vivons dans des sociétés sexistes.

Deux composantes de cette affaire expliquent qu'elle ait été présentée comme une parfaite illustration du viol sexiste. D'abord, la position sociale de DSK, qui faisait de lui tout à la fois un homme ordinaire et un puissant. Loin d'incarner l'odieux et étrange violeur de rue, Dominique Strauss-Kahn se présentait comme un homme aussi respectable et insoupçonnable qu'un mari, un collègue de travail, un voisin. Dans le même temps, son poste au FMI, sa position politique en France et l'immense fortune de sa femme faisaient de lui un privilégié qui abusait de sa position comme toutes les personnes de la caste des dominants.

Si, d'une part, cette affaire montrait que le viol pouvait concerner tout un chacun, elle permettait, de l'autre, de lier ce crime à l'abus et à l'impunité du pouvoir. DSK, *comme tous les hommes*, abusait de sa position de mâle dominant afin d'obtenir des femmes des rapports sexuels forcés en toute impunité. Comme DSK, tous les hommes pouvaient devenir des violeurs. Car ce que tous avaient en commun, c'est le fait d'abuser de leur hégémonie symbolique pour montrer aux femmes qu'elles ne sont que des objets sexuels à disposition.

Ensuite, la réputation sulfureuse de son principal protagoniste. Certains témoignages ont montré que cet homme pouvait avoir du mal à se maîtriser lorsqu'il était question de sexe. Et je ne fais pas ici allusion à son « addiction » à cette activité, qui l'aurait poussé à entretenir de nombreuses liaisons et à fréquenter des prostituées, car ces actes ne sont pour l'instant pas illégaux. D'après ces témoignages, il pouvait éprouver des difficultés à ne pas insister d'une manière désagréable, voire très lourde[1], lorsqu'une femme

---

1. Dans le témoignage que livra Tristane Banon lors de l'émission télévisée de Thierry Ardisson en

refusait d'entretenir une relation sexuelle avec
lui. Or cet homme, qui, selon nos perceptions
morales et politiques communes, aurait pu être
qualifié dans de telles circonstances de dragueur
pesant et impoli, a incarné, dès les premiers jours
après son arrestation et grâce à la théorie de la
domination sexiste, la figure paradigmatique du
violeur nouveau. Cette théorie permettait en effet
de faire l'amalgame entre la fréquentation des
prostituées, la drague lourde, le harcèlement et
le viol.

L'hypothèse sexiste a permis à ces groupes
féministes d'articuler dans cette affaire deux

2007, elle décrit l'agressivité et l'impolitesse avec lesquelles DSK semble s'être approché d'elle. Certes,
le récit qu'elle donna par la suite semble avoir été
orienté par la volonté de qualifier ces actes de tentative de viol, ce qui ne correspond nullement à ce
qu'elle avait décrit dans l'émission. Le 4 juillet 2011,
elle dépose plainte pour « tentative de viol ». Le
13 octobre 2011, le parquet de Paris classe la plainte
en affirmant que « des faits pouvant être qualifiés
d'agression sexuelle sont, quant à eux, reconnus ».
Or ce que DSK avait reconnu était non pas une
agression sexuelle, mais une tentative pour l'embrasser, la laissant partir après son refus. Voir *Libération*,
14 octobre 2011.

revendications visant à transformer la manière dont le droit français juge et définit ce crime. Ils ont d'abord contesté la façon dont la justice considère la parole d'une femme qui accuse un homme de l'avoir violée. Si la loi et les juges n'étaient pas eux-mêmes sexistes, ils devraient octroyer à cette parole une *présomption irréfragable de vérité*. C'est ainsi que la présomption d'innocence de l'accusé est apparue comme un stratagème sexiste, et la fin des poursuites pénales contre l'ancien prisonnier comme un déni de justice. Le seul fait que la parole d'une femme soit soumise à un examen de crédibilité leur est apparu comme le principal obstacle à ce que les victimes osent s'adresser à la justice. Cela expliquerait à leurs yeux le chiffre noir de ce crime, que révèlent les enquêtes de victimation. Or, si la sincérité de la parole d'une femme ne pouvait pas être mise en cause, comme elle peut l'être aussi bien dans le droit français que dans celui des États-Unis, comment éviter que le procès du viol ne devienne une machine à produire de terribles erreurs judiciaires ?

Cette affaire leur a permis, en outre, de montrer ce que pouvait vouloir dire, pour une femme, de « mentir » dans un contexte de domination sexiste. Car si Nafissatou Diallo a dû faire appel au mensonge, c'est parce que la définition actuelle du viol n'est pas en mesure de tenir compte d'une telle domination. Celle-ci produit des phénomènes de « sidération psychique » qui font que les femmes, tout en ayant l'air de consentir, sont en vérité terrifiées par la puissance symbolique masculine. Cet étrange effet de sidération n'explique-t-il pas que cette femme grande et robuste n'ait pas pu résister aux injonctions d'un homme petit et physiquement plus faible qu'elle ?

Or la sidération est une forme de la contrainte non pas objective, comme peuvent l'être la force, la menace ou la surprise, mais purement subjective, et elle n'est pas reconnue dans le droit français, ni, d'ailleurs, dans celui des États-Unis. Cela reviendrait à donner à la femme le pouvoir de faire condamner un homme pour viol sans que celui-ci ait eu la moindre conscience d'avoir forcé son consentement.

Même si ces revendications ne sont pas viables dans une société démocratique, les idées qui les portent visent incontestablement à transformer les politiques sexuelles héritées de la révolution des mœurs des années 1970. Car la théorie de la domination sexiste justifie de traiter le consentement des femmes adultes d'une manière analogue à celui des mineurs. Et, ce faisant, de faire de la liberté sexuelle dont nous jouissons aujourd'hui un souvenir historique des plus honteux et des plus amers, comparable au trafic d'esclaves ou au vote censitaire.

C'est parce que cette affaire est l'enjeu de quelque chose d'aussi important que j'ai trouvé nécessaire de lui consacrer ce petit livre. Loin de moi une quelconque volonté de prendre la défense de l'ancien prisonnier, à l'égard duquel je n'éprouve aucune sympathie, et moins encore de relativiser l'importance du viol. C'est parce que ce crime est si grave qu'il faut s'opposer à ce qu'il soit galvaudé et instrumentalisé par une idéologie qui fait de la haine des hommes et de la condamnation du sexe ses principaux objectifs politiques.

Ce livre est construit comme une enquête policière. Non pas pour découvrir si un viol a été commis, mais pour comprendre le nouveau droit du viol qui apparaît en filigrane dans les analyses du non-lieu de la justice américaine faites par les mouvements féministes et reprises par les médias comme par un certain nombre d'intellectuels. Plus précisément, j'ai voulu comprendre comment et pourquoi on a pu transformer Nafissatou Diallo, cette femme que le procureur américain n'hésite pas à qualifier de mythomane, en une source de vérité infaillible lorsqu'elle déclare : « DSK m'a violée. » Enfin, d'une manière brève, je tente d'esquisser d'autres avenirs pour le féminisme français.

J'ai écrit ce livre très rapidement, dans la stupeur suscitée en moi par les interprétations publiques que j'ai lues et entendues après l'annonce de l'abandon des poursuites pénales contre DSK. Je prie le lecteur de se montrer indulgent pour les traces qu'il pourra trouver dans mon texte de cette célérité, mais aussi de cette stupeur.

Paris, le 30 novembre 2011.

Chapitre 1

Le mystère de l'épilogue dérobé

Le 24 août 2011, Carla Bruni-Sarkozy déclara à la presse qu'elle n'avait pas compris l'« épilogue » de l'horrible affaire DSK. Par « épilogue », elle entendait le dévoilement de la véritable histoire qui s'est déroulée le 14 mai 2011 dans la suite désormais mythique du Sofitel de New York, et que la justice américaine, tel un piètre auteur d'intrigues policières, nous aurait dérobé.

La première dame de France exprima ainsi l'opinion de l'ensemble des médias au lendemain de la décision de la justice américaine de mettre fin aux poursuites contre l'ancien directeur général du FMI. Car si cette affaire avait paru incompréhensible à ses débuts, lorsque la société française avait appris, effarée, l'arrestation de Dominique Strauss-Kahn, les journalistes firent en sorte qu'elle le demeure tout autant au moment de sa conclusion. Cette métaphore de l'«épilogue dérobé», qu'on répéta à l'envi, permit de créer et d'entretenir la confusion. Comme si, au lieu d'admettre qu'ils n'aimaient pas l'épilogue, ils préféraient dire qu'il en manquait un.

En effet, de manière étrange, ni les mensonges avérés de Nafissatou Diallo ni les conclusions détaillées que le procureur en tira afin de demander un non-lieu n'ont été suffisants pour convaincre les médias que DSK avait été victime d'une scabreuse erreur judiciaire.

Cette espèce de scepticisme ne saurait être attribuée à la réputation de l'ancien directeur général du FMI, écornée par la médiatisation, après son arrestation, de sa fortune comme de ses mœurs. Si antipathique qu'il ait pu paraître à l'opinion, ce n'est pas parce que son épouse est milliardaire, ni pour son « addiction » au sexe, ni en raison des « mauvaises manières » que lui reprochaient certaines femmes qu'il eut à subir les malheurs, les pertes, les violences et les humiliations qui se sont abattus sur lui à partir du 14 mai 2011. Sa vie s'est brisée car il fut accusé d'avoir violé une misérable femme de ménage noire et immigrée dans la suite 2806 de l'hôtel Sofitel de Manhattan. Plus précisément, de l'avoir séquestrée, traînée, forcée, bousculée, d'avoir tenté de la pénétrer par tous les orifices de son corps avec ses mains et avec son sexe, avant de la mettre à genoux et de l'obliger dans cette posture à lui faire une fellation[1]. En tout,

---

1. D'après le rapport du procureur, « la plaignante a déclaré aux inspecteurs, puis plus tard aux procureurs, que, peu de temps après qu'elle est entrée dans la suite de l'inculpé pour y faire le ménage, ce dernier est sorti nu de la chambre à coucher, s'est approché d'elle et a attrapé ses seins sans son consentement. Selon la plaignante, l'inculpé a fermé la porte de la suite, l'a forcée à entrer dans la chambre, l'a poussée sur le lit et a tenté d'introduire avec force son pénis dans sa bouche, ce qui a entraîné un contact entre son pénis et les lèvres fermées de la plaignante. Celle-ci a déclaré que l'inculpé l'a ensuite entraînée de force à l'intérieur de la suite, en la poussant dans un couloir étroit. Selon elle, il a arraché son uniforme, a baissé ses collants en partie, a mis sa main dans sa culotte puis a violemment saisi la partie externe de son vagin. Enfin, la plaignante a déclaré que l'inculpé l'a forcée à s'agenouiller, a introduit de force son pénis dans sa bouche, a tenu sa tête puis a éjaculé. Cet acte sexuel s'est déroulé, selon la plaignante, au fond du couloir de la suite, à proximité de la salle de bains principale. La plaignante a affirmé avoir immédiatement

sept chefs d'inculpation pour lesquels il risquait jusqu'à 74 ans de prison[1].

C'est pourquoi le non-lieu prononcé le 23 août 2011 aurait dû susciter des réactions d'indignation ainsi qu'une volonté de réhabilitation, comme cela arrive lorsque, après avoir douté d'un homme, la justice reconnaît avoir agi dans la précipitation et commis une erreur. Pour en prendre acte, il n'est pas nécessaire que l'individu en question soit considéré comme un parangon de morale et de vertu. Ainsi, dans *The Guardian*, on félicita le bon travail de la justice américaine en reconnaissant implicitement de cette manière que celle-ci avait réparé l'erreur qu'elle avait commise. Cela n'empêcha pas ce journal de tenir Dominique Strauss-Kahn pour un être indigne de revenir à la vie

___

craché le sperme de l'inculpé sur la moquette du couloir de la suite, et avoir continué à le faire alors qu'elle s'enfuyait ».

1. Acte sexuel au premier degré (2 fois), tentative de viol au premier degré, agression sexuelle au premier degré, emprisonnement illégal au second degré, agression sexuelle au troisième degré, attouchements non consentis.

politique en raison de ses adultères répétés et de son addiction au sexe[1].

Tout autre a été la réaction de la presse française, pourtant réputée plus tolérante face aux écarts sexuels des hommes politiques – même si l'on devrait dorénavant prononcer ces mots avec une certaine prudence.

En effet, tout en annonçant la fin des poursuites engagées contre Dominique Strauss-Kahn, les journalistes français se sont attachés à souligner la nature factice de cette innocence. On expliqua aux lecteurs des journaux, aux téléspectateurs et aux auditeurs des radios que la décision de la justice américaine résultait non pas d'une connaissance avérée de ce qui s'était *véritablement passé* dans la chambre close, mais de

---

1. Pour quelques exemples récents de mise au ban de la vie politique d'hommes adultères ou ayant fait appel à des prostituées aux États-Unis, voir l'enquête de David Revault d'Allonnes et Fabrice Rousselot, *Le Choc. New York-Solférino, le feuilleton DSK*, Paris, Robert Laffont, 2011. Pour une critique de l'idée selon laquelle un chef d'État ou un individu aspirant à l'être devrait avoir une sexualité exemplaire dans une démocratie, voir Marcela Iacub, « Sexuellement correct », *Libération*, 8 septembre 2011.

l'absence de preuves permettant d'inculper l'ancien accusé. Aux yeux des journalistes, la justice avait laissé ce mystère aussi intact qu'au premier jour : « On ne saura jamais ce qui s'est passé dans la chambre 2806 », regrettèrent-ils à l'unisson.

Ainsi ne cessèrent-ils de répéter que, loin d'avoir été *blanchi*, l'ancien patron du FMI aurait simplement été *relâché*, ce qui ne donnait aucune prise à l'opinion publique pour accéder à la *vérité*. Mais entendons-nous bien : en disant cela, les journalistes ne faisaient pas allusion à une culpabilité ou à une innocence morale, politique, idéologique, comme leurs collègues anglophones, mais bien pénale. Les doutes portaient donc sur le fait de savoir s'il avait *véritablement violé* la femme de chambre.

Or il suffit d'examiner avec un brin d'attention cette idée aux allures « neutres » pour comprendre à quel point elle est sciemment injuste, partiale et violente à l'égard de l'ancien prévenu. On peut penser que ceux qui font profession de journalistes savent – sinon ils ne pourraient pas informer convenablement la population – que les régimes politiques dans lesquels nous avons la chance de vivre reconnaissent aux citoyens certaines libertés fondamentales qui empêchent de qualifier ainsi la décision de la justice américaine. Non seulement ils le savent, mais ils chérissent ces libertés, sans lesquelles l'exercice de leur métier serait trop difficile, voire tout simplement impossible. C'est pourquoi, lorsqu'ils affirment que l'ancien patron du FMI n'a pas été blanchi, ils sont conscients de ne pas dire la vérité, de ne pas rendre compte de ce qu'a fait la justice américaine en prononçant un non-lieu. Si des ignorants tenaient des propos de ce genre, on pourrait les créditer de bonne foi. Mais cette excuse ne saurait valoir pour des journalistes exerçant leur métier dans un pays démocratique comme la France.

Pour le comprendre, il faut montrer en quoi cette idée est problématique au regard non seulement de nos libertés les plus précieuses, mais aussi des données factuelles de l'affaire.

L'impossible innocence de DSK

Si Dominique Strauss-Kahn n'a pas été blanchi par la décision de la justice américaine, disent les journalistes, c'est en raison d'un *petit détail* sans grande importance : l'absence de preuves. De cela, ils déduisent avec une logique cartésienne implacable que la justice ne l'aurait nullement innocenté.

Cependant, dans les régimes politiques comme le nôtre, ce n'est pas l'innocence qui doit être déclarée par un tribunal, mais la culpabilité. Cela découle du principe tout à la fois politique et procédural de la présomption d'innocence[1]

---

1. Cette règle garantit les libertés individuelles au même titre que le principe de la légalité criminelle. « Tout homme étant présumé innocent jusqu'à ce qu'il ait été déclaré coupable, dit l'article 9 de la Déclaration des droits de l'homme et du citoyen, s'il est jugé indispensable de l'arrêter, toute rigueur qui ne serait pas nécessaire pour s'assurer de sa personne doit être sévèrement réprimée par la loi. » Ce principe explique d'une manière très générale les droits de la défense (droit de ne pas contribuer à sa propre condamnation, droit de se taire face aux accusations, le principe selon lequel la personne reste libre lorsqu'elle est mise en examen, la détention provisoire faisant figure d'exception), ainsi que le devoir de la juridiction répressive de rechercher aussi les éléments favorables à la personne poursuivie. C'est le même principe qui explique que soient nécessaires des majorités renforcées au sein d'un jury pour prendre des mesures défavorables

– dont on a tant parlé au début de cette affaire. Si ce principe n'existait pas, si c'était notre innocence et non pas notre culpabilité qui devait être déclarée par un juge, nous formerions une population de suspects. Les pouvoirs en place pourraient en permanence nous surveiller, nous espionner, nous emprisonner, nous interroger, nous obliger à dénoncer et à avouer sans être tenus de justifier par l'existence d'indices ou de preuves les charges sérieuses contre nous, comme c'est le cas dans les régimes autoritaires, totalitaires ou les monarchies de droit divin.

La présomption d'innocence n'est donc pas un principe formel défendu par la « gauche caviar » ou par des avocats véreux au service des escrocs, des riches corrompus et des violeurs, comme le prétendirent certains journalistes au moment de l'explosion de cette affaire[1]. C'est

_____

à l'accusé, le droit de faire examiner sa condamnation par une autre juridiction, l'absence de pourvoi en cassation contre un arrêt d'acquittement d'une cour d'assises (sauf dans l'intérêt de la loi), et l'impossibilité de reprendre des poursuites contre une personne mise hors de cause, même en cas d'erreur judiciaire.

1. Ce fut le cas de Laurent Joffrin, qui prétendit dans *Le Nouvel Observateur* que ce sont les riches de gauche

une règle sans laquelle notre régime politique n'existerait pas, car nos droits et nos libertés seraient toujours menacés, soumis à des caprices, des murmures, des états d'humeur du gouvernement et de sa police. Une règle sans laquelle il suffirait d'une dénonciation même sans aucun fondement, dépourvue de toute crédibilité, pour qu'on soit arrêté, emprisonné, déshonoré auprès de ses concitoyens.

Ce principe fondamental explique aussi les règles de la production et de l'interprétation de la preuve dans un procès pénal. C'est au ministère public de prouver la culpabilité d'un prévenu et non à ce dernier de faire la preuve de son innocence. Qui plus est, la culpabilité ne doit pas être probable mais certaine, même si elle résulte de la conviction intime du tribunal qui a le pouvoir d'apprécier librement les preuves. C'est pourquoi cette règle prend une valeur particulière en cas de doute, celui-ci

---

qui s'intéressent aux libertés publiques comme la présomption d'innocence, tandis qu'une vraie gauche, celle des pauvres, devrait surtout se préoccuper d'égalité et non pas de liberté... comme si c'étaient les riches qui peuplaient nos prisons.

devant profiter à l'accusé. Or, lorsqu'une personne a été acquittée au bénéfice du doute ou que le tribunal n'a pas trouvé assez de charges pour l'inculper, elle n'est pas moins innocente que celle qui a emporté une conviction entière. Et ce, pour deux raisons. D'abord, parce que ce principe veut qu'il est plus grave de condamner un innocent que d'acquitter un coupable. Ensuite, parce qu'il n'y a pas de mi-chemin entre la culpabilité et l'innocence, comme dans la justice de l'ancien temps : soit on est coupable, soit on est innocent.

Mais, dans cette affaire, la justice américaine n'a pas eu à se confronter à des doutes, à des preuves qui accablaient le prévenu quand d'autres l'innocentaient. Elle n'a pas eu besoin d'appliquer la règle de la présomption d'innocence pour apprécier la preuve. D'après ce qu'écrit Cyrus Vance Jr dans son rapport, les charges retenues contre DSK reposaient uniquement sur la parole d'une femme jugée non crédible en raison de ses mensonges répétés non seulement sur son passé, mais aussi sur les circonstances de l'agression, question sur laquelle je reviendrai. En bref, le dossier était vide, il n'y avait aucune preuve justifiant d'inculper cet homme d'aucun crime. Que veulent dire alors les journalistes lorsqu'ils affirment que la vérité ne sera jamais connue et que le tribunal nous a définitivement empêchés d'y accéder ?

Ils attirent l'attention sur le fait que l'absence de preuves contre DSK n'enlève rien au fait qu'il continue d'être *accusé de viol* par une femme avec laquelle il est avéré qu'il a eu une relation sexuelle. Que la justice, par les règles de procédure qu'elle a employées, s'est contentée de vérités fictives et purement formelles. Les journalistes signifient que cette justice aurait dû prouver que l'ancien directeur général du FMI n'a jamais violé Nafissatou Diallo, c'est-à-dire fournir une preuve négative. Or, au lieu de cela, le procureur s'est limité à constater qu'il n'y avait pas de preuves suffisantes pour montrer que l'agression avait eu lieu. Comme si le prévenu devait être présumé coupable tant qu'il n'a pas démontré qu'il n'a pas fait ce dont on l'accuse.

Ainsi, cette phrase : « On ne saura jamais ce qui s'est véritablement passé... », sous des apparences de neutralité, de refus de parti pris, constitue une critique de la décision de la justice américaine. Comme si cette dernière n'avait pas su être à la hauteur de l'accusation qu'on avait portée à sa connaissance. Plus concrètement et plus précisément, comme si elle avait échoué parce qu'elle n'avait pas pu prouver que DSK n'avait pas violé cette femme et qu'elle avait néanmoins abandonné les poursuites contre lui.

C'est pourquoi, loin de commenter avec sincérité et bonne foi la décision de la justice américaine, les médias français militent d'une manière active et cachée pour le changement du droit du viol. Plus précisément, ils critiquent la façon dont le principe de la présomption d'innocence est appliqué à cette infraction. Comme si la gravité et le caractère exceptionnel d'une telle accusation justifiaient que les règles qui assurent nos libertés les plus fondamentales soient mises de côté. Et, pour ce faire, ils font porter le poids de ce défaut à celui qui a été relâché en vertu du droit qu'ils contestent. Car en répétant que cette décision ne permet en rien de dire si DSK est coupable ou innocent, ils le condamnent à tout jamais au soupçon d'avoir commis cet acte effroyable. Cet homme ne serait donc ni coupable ni innocent, à la manière de certaines

sentences de l'Ancien Régime dites de « mise
hors cour » dans lesquelles les absolutions
s'accompagnaient de soupçons[1]. Selon l'ancien criminaliste Pothier, ces « renvois hors de
cour » signifiaient que « l'accusation, quoique
non prouvée, n'a pas néanmoins été intentée
sans quelque fondement[2] ». Ainsi, l'éventuelle
réhabilitation de Dominique Strauss-Kahn
est encore plus compromise que s'il avait été
déclaré coupable. Dans ce cas, il aurait pu être
jugé une nouvelle fois au pénal pour la même
affaire. Qui plus est, au lieu de reconnaître
que ce sont eux, les médias, qui condamnent
DSK à cette peine éternelle que rien ne saurait
effacer, ils affirment que c'est la justice américaine qui le fait. Comme si, au fond, la seule
erreur judiciaire avait été la demande de non-
lieu et non l'arrestation précipitée de DSK à

---

1. Philippe Conte et Patrick Maistre du Chambon,
Procédure pénale, Paris, Armand Colin, 2002, 4ᵉ éd.,
p. 26.

2. Cité par Jean-Marie Carbasse, *Introduction historique au droit pénal*, Paris, PUF, 1990, p. 154. C'est
pourquoi, écrit cet auteur, « la partie civile ne pouvait
être condamnée ni aux dépens ni à des dommages et
intérêts », comme dans le cas d'une absolution complète.

l'aéroport JFK le 14 mai, alors qu'il s'apprêtait à rentrer en Europe.

Or ce discours consistant à transformer cet homme en bouc émissaire d'une noble cause, celle du changement du droit du viol, n'est pas apparu le 23 août. C'est dans les jours qui suivirent l'arrestation de l'ancien directeur général du FMI que le principe de la présomption d'innocence parut intolérable au regard d'une accusation de viol.

La controverse est née des propos que des proches du prévenu avaient tenus à l'annonce de son arrestation. Du dimanche 15 au mardi 17 mai, les amis de l'accusé ainsi que ses camarades socialistes ont manifesté leur chagrin et lui ont adressé leur sympathie ainsi qu'à sa famille. D'autres ont avancé qu'ils ne parvenaient pas à imaginer leur ami capable des actes qu'on lui reprochait alors.

Dès le mardi 17 mai, les militantes féministes et les journalistes, mais aussi certains leaders politiques allant de Marine Le Pen à Cécile Duflot, ont jugé intolérable que ces gens puissent s'apitoyer sur le triste sort de leur camarade sans avoir le moindre mot pour la femme de chambre. À cela, les amis de DSK répondaient que ce dernier n'avait pas été jugé, et qu'on ne pouvait donc pas le tenir *a priori* pour coupable. Il était à ce stade seulement suspect d'avoir commis un crime sexuel. Dès lors, il était normal de ne pas encore s'apitoyer sur le sort d'une personne dont la réalité du malheur dépendait de la culpabilité de l'accusé. En outre, c'est parce que le malheur éventuel de la femme de chambre avait été pris en considération que DSK était passé du statut d'*innocent* à celui de *présumé innocent*.

Cette distinction ne fut pas suffisamment comprise. Une personne *présumée innocente*, à la différence d'une autre qui est *innocente,* est une personne qui, sans avoir été jugée coupable, doit néanmoins répondre devant la justice de charges et d'indices défavorables qui pèsent contre elle. C'est parce que Dominique Strauss-Kahn était depuis le 14 mai *présumé innocent* qu'il a pu être arrêté, menotté, mis en détention et obligé d'embaucher des avocats pour se défendre.

Mais, dira-t-on, s'apitoyer sur son sort signifiait précisément qu'ils considéraient *a priori* la procédure comme injustifiée, qu'ils ne prenaient pas en compte la souffrance de l'éventuelle victime. C'est sur ce point que la question du statut du présumé innocent prend tout son sens.

En effet, si l'on était certain que, dès son arrestation, DSK avait perdu beaucoup (sa liberté d'aller et venir, des sommes d'argent considérables pour payer sa caution, ses avocats et le dispositif de sa propre surveillance, son poste au FMI, son avenir de présidentiable) par le simple fait d'être passé du statut d'*innocent* à celui de *présumé innocent,* on ne savait pas encore si ces pertes étaient justifiées. Puisqu'il n'avait pas été jugé, on ignorait s'il avait fait quelque chose pour mériter tout ce qu'il subissait. Or il n'en allait pas de même de la présumée victime. On ne savait pas si elle avait véritablement perdu quelque chose, si elle avait été ou pas victime d'un viol, on ne connaissait ni son nom ni ses intentions. Comment s'apitoyer sur le sort de quelqu'un lorsque c'est justement ce sort qui est l'objet de l'enquête ? C'est, hélas, une des caractéristiques d'une bonne partie des procédures pénales pour crime sexuel. Car si DSK avait été accusé d'avoir assassiné cette femme et non de l'avoir violée, les choses auraient été bien différentes. Dans ce cas de figure, le statut de victime de cette dernière ainsi que celui de ses proches n'auraient prêté à aucun doute, même si l'auteur de cet acte ou les circonstances dans lesquelles il aurait été commis n'étaient pas forcément connues. En toute circonstance, que quelqu'un ait été tué avec ou sans préméditation, ou que sa mort résulte d'un accident, cette personne comme ses proches sont des victimes à plaindre. Tandis qu'avec le viol – non pas tous les viols, bien entendu, mais certains d'entre eux, comme celui-ci – c'est l'existence même de l'agression qui est matière à jugement, c'est le statut de victime qui est précisément en question.

Par ailleurs, les amis de DSK pouvaient se prévaloir de le connaître depuis un certain nombre d'années, alors qu'on ne savait absolument rien de la présumée victime. Je ne fais nullement allusion ici aux mœurs sexuelles de cette dernière, mais à sa manière d'être et de vivre, à ses intentions, à sa sincérité. Et c'est Cyrus Vance Jr qui eut à payer le prix de la confiance sans bornes qu'il lui avait accordée au début de l'enquête. Certes, il était normal que les gens qui connaissaient cette femme et qui lui faisaient confiance pensent à elle et tiennent DSK pour un horrible violeur dont la condamnation allait être difficile car il était protégé par la présomption d'innocence et avait à sa disposition les moyens financiers de se défendre. Mais chez ceux et celles qui ne savaient rien de cette femme, s'apitoyer sur son sort revenait à approuver le bien-fondé des poursuites lancées par Cyrus Vance Jr. À les approuver de manière aveugle, comme par principe. De la même manière qu'on allait les désapprouver par la suite lorsque le procureur finirait par ne plus croire au fait que Nafissatou Diallo ait été victime de quoi que ce soit.

La controverse autour de la présomption d'innocence de DSK monta très vite d'un cran. Ce n'était plus seulement le fait de s'apitoyer sur l'un ou l'autre, mais le fait de les nommer, de les désigner en tant que protagonistes de la procédure elle-même qui fut l'objet d'une sorte de clarification indignée. Ainsi, désigner DSK comme présumé innocent était presque intolérable. Comme si cette expression, du seul fait qu'elle était prononcée, voire pensée, impliquait que Nafissatou Diallo était une menteuse potentielle.

Cette règle nécessitait, pensa-t-on, une sorte de contrepoids « égalitaire ». Audrey Pulvar fut celle qui exprima le mieux ce paralogisme auquel finirent par adhérer l'ensemble des médias. Elle déclara le 22 mai : « La présomption d'innocence est inaliénable, mais la présomption de véracité des propos de la plaignante aussi. »

Or le problème était que Nafissatou Diallo n'était même pas partie de la procédure engagée aux États-Unis, mais témoin de l'accusation. Dans une procédure pénale, c'est l'État, le procureur, qui accuse, et non la victime. Ce n'était pas un procès civil dans lequel les parties sont à égalité, mais un procès pénal dans lequel le pouvoir de punir de l'État est engagé. En substance, cela revenait à postuler que la présomption d'innocence du prévenu devait être contrebalancée par celle de la véracité de la procédure entamée par Cyrus Vance Jr. Cela signifiait que les règles procédurales de la présomption d'innocence – la preuve incombant au ministère public, les droits de la défense et autres – ne devaient pas être appliquées à DSK. Qu'il fallait tenir ce dernier et l'État de New York comme deux parties devant être traitées de manière similaire, même si l'une était un simple particulier et l'autre un appareil institutionnel capable de l'arrêter, de l'incarcérer et de le condamner à vie.

C'est pourquoi adhérer au paralogisme exprimé par Audrey Pulvar équivalait à réduire la présomption d'innocence de DSK au traitement judiciaire dont étaient victimes les accusés sous l'Ancien Régime. En ces temps dorés de la torture judiciaire et des supplices publics que tant de monde semble regretter aujourd'hui, l'accusé n'était pas tenu pour coupable d'emblée. Sa culpabilité devait être prouvée par les juges, bien que les garanties procédurales de la présomption d'innocence des sociétés démocratiques ne lui fussent pas appliquées.

C'est peut-être pour cette raison – ce refus de reconnaître à Dominique Strauss-Kahn le droit de se défendre contre les accusations qui étaient portées contre lui – que la presse condamna la volonté de ses avocats de chercher à décrédibiliser Nafissatou Diallo. Et l'on s'empressa d'écrire partout que ce salaud présumé innocent avait embauché des détectives pour fouiller et souiller la malheureuse victime. Peu importait que la possibilité pour DSK de se défendre en dépendît. Cet homme ne pouvait pas être présumé innocent sans que la parole de toutes les victimes de viol soit, en même temps, discréditée.

Certes, tout au long de l'affaire, on a tenté de garder plus ou moins les formes, en répétant qu'on ne savait pas ce qui s'était passé. Mais on suggérait dans le même mouvement qu'il est honteux, inconcevable même, de penser qu'une femme dénonçant un viol puisse être une affabulatrice. Et si les femmes qui accusent un homme de viol ne peuvent être soupçonnées de mentir, Dominique Strauss-Kahn ne pouvait être que coupable et non présumé innocent. La condamnation était prononcée. Il ne restait à la justice qu'à confirmer le verdict.

C'est pourquoi cet épilogue – « On ne saura jamais ce qui s'est vraiment passé... » – confirme d'une certaine manière les positions prises au début de l'affaire. Comme si, au fond, ce déni de justice cachait une culpabilité avérée.

Or, si les médias se sont contentés de suggérer cette idée à la suite du non-lieu, d'autres ont déclaré DSK coupable d'une manière plus directe. Ce sont ces jugements qu'il faut analyser maintenant.

Chapitre 2

De l'inconvénient d'asperger
de son sperme une femme de chambre

Dans les jours qui ont suivi l'annonce du non-lieu, deux types d'arguments ont été avancés pour étayer la culpabilité de l'ancien directeur général du FMI. Le premier tente d'interpréter les mensonges de Nafissatou Diallo comme des métaphores d'une forme de violence qu'elle aurait subie du fait de son inégalité sociale par rapport à son agresseur. Le second n'admet pas qu'il y ait eu mensonge ni métaphore de sa part. Elle n'aurait dit que la vérité, et serait la victime d'un déni de justice l'empêchant de prouver que DSK l'avait bel et bien violée.

J'analyserai dans ce chapitre le premier de ces arguments, puis, dans le chapitre suivant, le second, même si, comme je le montrerai, l'un et l'autre se conjuguent pour donner lieu aux deux grandes transformations que les mouvements féministes voudraient imprimer au droit du viol en France.

« Please, I don't want to lose my job »

Dans le rapport que le procureur adressa au tribunal de l'État de New York, on lit que « les preuves matérielles, médicales ou autres [...] permettent d'établir qu'un acte sexuel est bien intervenu entre la plaignante et l'inculpé le 14 mai 2011. Elles ne permettent pas, en revanche, d'établir ou de prouver que cet échange fut imposé par la violence ou qu'il fut non consenti[1] ».

---

1. Compte tenu des mensonges et des changements de version de Nafissatou Diallo, le procureur dit ne pas être en mesure de déterminer la durée de cet acte. En effet, si, selon la première version des faits, il a cru qu'il avait été très bref (7 minutes) et a pu déduire de cette brièveté qu'il n'avait pas été consenti, désormais il ne pouvait pas établir d'une manière certaine qu'il ait duré moins de 20 minutes. Or, bizarrement, ces précisions sur l'impossibilité pour le procureur de déterminer d'une manière certaine la durée de l'acte furent en France non seulement passées sous silence, mais déformées. Dans la

Aux yeux de certains, le seul fait que cet acte ait eu lieu suffit pour qu'il soit qualifié de viol, compte tenu de la différence de statut entre les partenaires. L'hypothèse, avancée entre autres par l'écrivain Marc Weitzmann dans le journal *Libération*[1], fut que la jeune femme aurait été sidérée par la puissance de cet homme, par sa classe, sa race, son statut. Son consentement n'aurait donc pas été libre, mais extorqué. C'est pourquoi, au lieu de se défendre contre cette agression, elle se serait contentée de dire à son présumé agresseur : « *Please, I don't want to lose my job.* » Ainsi, si elle a menti au procureur, ce n'est pas par calcul, mais pour exprimer le sentiment de contrainte qu'elle aurait ressenti. Comme si la violence physique qu'elle affirme à tort avoir subie n'était qu'une figure de style exprimant son sentiment de contrainte et de sidération psychiques. La justice, au lieu de servir des intérêts de race et de classe comme

---

plupart des médias, on prit en considération le temps le plus court, les 7 minutes initiales qui semblaient bien plus propices à un acte de violence et non l'hypothèse d'un rapport durant 20 minutes.

1. *Libération*, 30 août 2011.

elle l'a fait, aurait dû comprendre que cet acte sexuel avait été non consenti et donc violent – sinon physiquement, tout du moins psychiquement. Par conséquent, DSK ne peut pas être innocent car il savait qu'il était en train de profiter de l'infériorité sociale de cette femme et de la sidération psychique qu'il exerçait sur elle. C'est pourquoi le fait pour les amis de cet homme de le recevoir en fanfare à son retour à Paris, comme si, tel le capitaine Dreyfus, il avait été la victime héroïque d'une erreur judiciaire, était non seulement un manquement à la vérité, mais aussi une horrible « bassesse ».

Cette théorie fonde la contrainte sur un abus de pouvoir non pas réel – car la jeune femme n'était pas sous les ordres de l'ancien directeur général du FMI, et les éventuelles sanctions qu'elle pouvait craindre étaient très indirectes –, mais purement psychologique.

Or une femme qui porte plainte pour viol immédiatement après que l'acte supposé a été commis ne semble pas faire preuve d'une telle sidération psychique, d'une telle volonté de contenter les uns et les autres, d'une telle servilité. Bien au contraire. Il paraît infiniment plus risqué, compromettant, insolent, violent, transgressif, *sidérant*, de porter plainte pour viol que de demander à un client lubrique d'arrêter de l'importuner. Plus encore, les nombreuses entrevues qu'elle a accordées à la presse écrite et à la télévision après la révélation de ses mensonges ne montrent nullement un être assujetti ou impressionné par les Blancs, riches et puissants, mais plutôt quelqu'un qui fait preuve d'une audace peu commune. Comment comprendre autrement le fait qu'elle se soit confrontée à des millions de téléspectateurs pour raconter dans les moindres détails la fellation qu'on lui aurait imposée, pour répondre à des questions compromettantes portant notamment sur ses liens avec les trafiquants de drogue ou sur ses nombreux mensonges ? Comment cette femme dominée, assujettie, peut-elle persister, après que ses « erreurs » passées ont été dévoilées, à défier la justice américaine et l'opinion publique du monde entier ?

Cette explication de la contrainte par sidération psychique due à une sorte de fatalité de classe paraît incompatible avec l'audace rare d'une femme qui, à aucun moment de sa vie, ne semble avoir craint quoi que ce soit. Car elle a menti sur un viol commis dans son pays d'origine, sur ses revenus pour payer moins d'impôts, sur sa santé pour avoir un logement social, sur les profits financiers qu'elle tirait de ses liens avec un groupe de trafiquants de drogue.

Cela signifie-t-il pour autant que cette jeune femme aurait consenti par désir ou par passion à faire une fellation à Dominique Strauss-Kahn ? Cette hypothèse semble peu plausible[1], à moins d'imaginer qu'ils entretenaient une liaison depuis un certain temps[2]. Mais c'est le fait de tenter de comprendre ce qui a pu se passer dans cette alternative du désir ou de la violence qui est erroné, voire de mauvaise foi. L'hypothèse la plus vraisemblable, celle d'un acte de prostitution, est écartée sous prétexte que l'ancien prévenu, écrit Marc Weitzmann dans son article, l'aurait niée.

---

1. Mais les comportements sexuels – et pas seulement sexuels – des êtres humains peuvent être si bizarres que ce type d'affirmation doit toujours être formulé avec la plus grande des prudences.

2. Même dans un tel cas, il ne semble pas très vraisemblable que ce soit le désir ou la passion qui ait poussé cette femme à pratiquer une fellation dans ce contexte.

Or, si l'on tient compte du fait que, comme l'ont affirmé des sources proches du procureur au mois de juillet, Nafissatou Diallo se livrait à la prostitution occasionnelle, on peut envisager plusieurs scénarios. Par exemple, le fait que DSK ait refusé de payer la dame par crainte de tomber dans un piège – car l'achat de services sexuels est interdit à New York – ou qu'il ait oublié de lui laisser de l'argent en partant, tout comme il oublia son téléphone portable, pourrait expliquer la fureur qui poussa la jeune femme à le dénoncer à ses supérieurs. Et l'on comprendrait alors qu'elle soit revenue dans la chambre après le départ de son occupant, comme l'indiquent les enregistrements des clés magnétiques de l'hôtel, afin de vérifier si, finalement, il ne lui avait pas laissé d'argent – un comportement autrement inexplicable.

Mais on peut élaborer bien d'autres hypothèses à partir des faits établis par Cyrus Vance Jr : une fellation, pas de traces de violences physiques, un laps de temps qui a pu s'étaler entre 12 h 06 et 12 h 26, avec un appel téléphonique passé à la fille de DSK à 12 h 13. Ou encore un piège conçu à l'avance pour extorquer de l'argent à un homme riche, ou bien un différend autour de l'acte sexuel à réaliser ou du prix à payer. L'esprit humain est si fécond et les motivations des personnes sont si variées que l'on pourrait encore imaginer bien d'autres scénarios à partir de ces faits. Il ne faut pas oublier que le but du procureur était de déterminer si l'hypothèse de l'agression violente était vraisemblable et susceptible d'être crue par un jury à partir des preuves qu'il avait rassemblées, et non de proposer une autre explication plausible. C'est pourquoi, même si Cyrus Vance Jr avait eu une autre explication que celle donnée par Nafissatou Diallo sur la nature et les circonstances de cette rencontre, il n'avait pas à la faire figurer dans son rapport.

Comme je l'ai déjà souligné, le but de la justice pénale n'est pas d'établir qu'il n'y a pas eu viol, mais de déterminer s'il y a ou pas des éléments susceptibles de prouver qu'un tel acte a eu lieu. Cela n'a rien à voir avec la rengaine des journalistes, selon lesquels « on ne saura jamais la vérité ». Car la seule vérité à établir est celle de l'acte sexuel imposé par la violence ou la contrainte. Le récit des faits, l'innombrable quantité de scénarios possibles, c'est la tâche des auteurs de fictions policières et non celle de la justice. C'est pourquoi Edgar Allan Poe, qui inventa le roman policier au milieu du XIXᵉ siècle, écrit dans *Le Mystère de Marie Roget* que, si la justice prétendait accéder à la vérité d'un événement passé, elle se mettrait à la place de Dieu et pourrait un jour se considérer comme capable de prédire l'avenir. Et attendre de Dominique Strauss-Kahn qu'il livre devant des millions de téléspectateurs, lors de sa prestation télévisée du 18 septembre 2011 sur TF1, le récit sordide d'une courte rencontre sexuelle avec une femme de chambre qu'il n'a pas payée, ou pas à la hauteur des attentes de cette dernière, semble un peu excessif. D'abord parce que, en racontant cela, il risquait de passer pour quelqu'un de moralement méprisable auprès de ceux qui n'avaient pas cru à l'hypothèse de l'agression et de ne pas convaincre ceux qui le croyaient coupable. Par ailleurs, ne pas payer les services sexuels d'une prostituée n'est vraiment pas très poli, et l'excuse d'avoir oublié de le faire, ou d'avoir cru que la dame l'avait fait sans attendre une contrepartie pécuniaire, révèle soit un mépris, soit une volonté de dénégation de ses propres actes qu'il est malvenu de faire porter aux autres, en l'occurrence à Nafissatou Diallo. Ensuite, il semble fort problématique de parler d'une relation de prostitution – même dans l'hypothèse où la jeune femme n'aurait pas été payée – lorsqu'on espérait, quelques mois auparavant, être désigné candidat d'un parti politique qui prône depuis plusieurs années la pénalisation de l'achat de services sexuels. Enfin, la défense pénale de DSK s'était structurée sur la négation de cet achat, et cela risquait de le faire apparaître comme un menteur.

La théorie de la sidération psychique due à la différence de classe, de statut, de race, si elle n'est pas convaincante pour expliquer les faits du 14 mai, est très intéressante pour rendre compte de la construction idéologique qui sous-tend la culpabilité de DSK. Car, en prenant des distances avec le droit tel qu'il est, elle montre ce qu'il devrait être, comment il faudrait qu'il évolue pour protéger convenablement les femmes contre le viol.

Cette théorie a un volet moral et un autre plus juridique. Elle commence par une critique du caractère inconvenant pour un homme dans la position de Dominique Strauss-Kahn de s'entretenir sexuellement avec une femme comme Nafissatou Diallo. En commentateur particulièrement avisé, Christophe Barbier a écrit dans *L'Express* qu'il n'était ni éthique ni esthétique pour un homme comme DSK « d'asperger de son sperme » une femme de chambre[1]. Ce qui laissait penser que l'on pourrait procéder à une telle opération avec une femme d'une classe sociale identique à la sienne. Dans le premier cas, ce serait un abus et une humiliation, pas dans le second. La question qui se pose alors est de savoir si entretenir un rapport sexuel plus classique que l'éjaculation faciale aurait été plus digne, plus acceptable entre des

---

1. « Celui qui veut être homme d'État ne peut abandonner dans le privé toute dignité. Or il est indigne d'un aspirant à la présidence de la République d'asperger de son sperme une femme de chambre. Si de Gaulle avait été surpris, à l'été 1958, en train d'éjaculer sur une fille de ferme de Colombey, l'Histoire aurait-elle retenu de l'épisode qu'il s'agissait de vie privée, ou bien le scandale l'aurait-il fait choir de son piédestal ? DSK a manqué de respect aux femmes et surtout aux plus modestes en se comportant ainsi. » Christophe Barbier, *L'Express*, 31 août 2011, p. 34.

personnes de niveaux sociaux différents. Si tel était le cas, il faudrait d'autres paramètres que le seul consentement pour décider qu'un acte sexuel est licite ou illicite. On commencerait à nouveau, comme ce fut le cas dans le passé, à prendre en considération comme paramètre d'une telle licéité le type d'actes que les partenaires réalisent et les liens que ceux-ci entretiennent entre eux. Cette phrase si pittoresque de Christophe Barbier souligne que le type d'acte que l'on réalise est jugé moins digne, moins approprié, précisément parce que le partenaire socialement inférieur ne saurait pas véritablement y consentir. Ou, plutôt, un tel consentement serait suspect car il serait contraire à la dignité de la femme de chambre. C'est le même raisonnement que l'on employa pour interdire en France un spectacle de lancer de nains au début des années 1990[1] et que l'on utilise pour mettre en cause le consentement des prostituées ou celui des actrices pornographiques, sur lesquels je reviendrai. Ces

---

1. Voir à ce sujet les analyses d'Olivier Cayla *in* Oliver Cayla et Yan Thomas, *Du droit de ne pas naître*, Paris, Gallimard, 2002.

actes étant qualifiés d'humiliants, la personne humiliée ne pourrait pas y consentir sans se nuire à elle-même, comme à toutes les autres femmes de sa classe et aux femmes en général, ainsi que le dit Barbier. On introduit par ce biais de nouvelles normes pour dire la bonne et la mauvaise sexualité qui excèdent la dichotomie du consenti et du non-consenti, établie par le droit issu de la révolution des mœurs. Le consentement d'une femme de chambre qui a été « aspergée par le sperme » d'un homme riche serait sujet à caution. Ce qui prime pour juger les actes sexuels hors norme, un peu moins classiques, c'est le statut, la différence de pouvoir, de richesse, de race ; c'est cela qui transforme une relation sexuelle consentie en violence.

C'est le même raisonnement qu'ont employé Marc Weitzmann et d'autres pour juger non pas de l'éjaculation faciale, mais des rapports sexuels en général entre personnes de statut social différent par le biais de la théorie de la sidération psychique. Sauf que ces deux manières de blâmer ce type de sexualité sont porteuses de raisonnements et visent à mettre en place des techniques répressives différentes.

La première cherche à objectiver des situations *a priori* humiliantes telles que l'achat de services sexuels afin qu'elles soient interdites d'une manière générale, quand la seconde vise à en appréhender d'autres plus individualisées dans lesquelles une femme peut se sentir l'objet d'une violence fondée sur une différence de statut social ou symbolique, situations non prévues par le droit d'une manière spécifique. L'enjeu est, en substance, d'élargir arbitrairement, par le biais de la parole de la femme, la notion de contrainte, d'absence de consentement à la sexualité et donc de viol. Cela coïncide avec la construction des enquêtes de victimation autour de ce crime dont on a tant parlé pendant l'affaire. Dans ces enquêtes, on considère qu'une femme a été violée quand elle déclare que tel a été le cas, sans lui demander des précisions sur les actes qu'elle définit comme un viol, notamment sans les confronter aux définitions juridiques. En fait, cela revient à laisser la femme seule juge de la contrainte. Se dessine ainsi un changement au regard des principes de la révolution des mœurs et de la manière dont le crime avait été conçu. Punir le viol avait pour but de protéger le consentement à la sexualité, et pas seulement celui des femmes, d'ailleurs. Or, dans ces nouvelles problématisations, il semblerait que la notion de contrainte cherche à s'étendre de façon arbitraire et imprévisible.

Comme si ce crime, loin de chercher à protéger le consentement, devait être conçu comme un dispositif qui ne cesse de redéfinir celui-ci. Comme si sa raison d'être était moins de punir ceux qui passent outre le consentement d'autrui que de donner aux femmes le pouvoir de qualifier un acte sexuel comme étant contraint. Je reviendrai sur cette question cruciale et délicate.

Ainsi, aux yeux des partisans de la théorie de la sidération psychique, DSK serait coupable d'une forme de violence sexuelle qui n'a pas encore trouvé une expression convenable dans la langue du droit. Et l'intérêt, la force, l'importance de la plainte de Nafissatou Diallo est précisément l'ouverture à de nouvelles possibilités de criminalisation de la sexualité consentie.

Chapitre 3

DSK m'a violée

Un deuxième argument a permis de fonder la culpabilité de Dominique Strauss-Kahn : la fin des poursuites fut demandée par le procureur au motif que la parole de Nafissatou Diallo fut jugée « non crédible ». Selon une opinion répandue, si un vrai procès s'était tenu, on aurait pu montrer que, même si elle avait menti sur presque tout, la jeune femme avait dit la vérité lorsqu'elle avait déclaré : « DSK m'a violée. »

Cet argument, qui est beaucoup plus invraisemblable que le précédent du point de vue factuel, est, au fond, très puissant. Car il porte sur ce problème si délicat de la parole des femmes victimes de viol et de sa signification non seulement procédurale mais aussi politique. Cela explique que les médias s'y soient ralliés d'une manière implicite ou explicite.

Pour mieux comprendre le contraste entre sa puissance politique et son incapacité à rendre compte de la culpabilité de DSK, il faut d'abord indiquer pourquoi il est absurde de tenir comme non fondée la décision du procureur de ne pas donner crédit aux accusations de Nafissatou Diallo.

Dans la présente affaire, écrit Cyrus Vance, la preuve de l'usage de la force et de l'absence de consentement repose sur un seul témoin : la plaignante. Le fait qu'elle ait précédemment convaincu des procureurs et des enquêteurs expérimentés qu'elle avait été victime d'une autre agression sexuelle, sérieuse et violente – mais fausse –, avec la même attitude qu'elle aurait sûrement eue au procès, est fatal. Sachant que son attitude convaincante ne peut être le signe fiable de son honnêteté, et ajoutés à cela les nombreux mensonges que nous avons découverts lors de nos entretiens avec elle, nous sommes obligés de conclure que nous ne sommes plus convaincus de la culpabilité de l'inculpé au-delà d'un doute raisonnable, et ne pouvons demander à un jury de condamner sur la base du témoignage de la victime.

Il faut avouer que l'explication du procureur est plutôt inquiétante. Car elle rend compte du fonctionnement exceptionnel de la procédure pénale devant une accusation de crime sexuel : une personne peut être condamnée aux plus longues peines sur la foi du seul témoignage de la prétendue victime, c'est-à-dire sans aucune preuve additionnelle. C'est pourquoi des erreurs judiciaires dramatiques ne cessent d'être commises. Lorsqu'elles émergent par un retournement tardif de la parole accusatrice, ces erreurs ébranlent l'opinion[1], mais elles laissent deviner toutes les autres qui restent secrètes et que de faux coupables doivent subir dans des conditions particulièrement violentes, car à la

---

1. Voir, entre autres, Acacio Pereira, *Justice injuste. Le scandale de l'affaire d'Outreau*, Paris, Philippe Rey, 2004, et Paul Bensussan et Florence Rault, *La Dictature de l'émotion. La protection de l'enfant et ses dérives*, Paris, Belfond, 2002. En 2011, la presse a dévoilé une erreur judiciaire dramatique : *Libération*, 25 juin 2011 et, plus loin, p.69-70. Voir aussi le terrible et poignant témoignage d'Alain Marécaux dans son livre *Chronique de mon erreur judiciaire. Victime de l'affaire d'Outreau*, Paris, Flammarion, 2005, adapté au cinéma par Vincent Garenq : *Présumé coupable*, 2011.

lourdeur des peines s'ajoute le fait d'être les parias de la population carcérale. Par ailleurs, comme la plupart des personnes condamnées pour ces crimes appartiennent aux couches les plus défavorisées de la population – l'enquête de Véronique Le Goaziou le montre bien[1] –, ils ont rarement pour les défendre des avocats habiles et dévoués, autant d'éléments qui favorisent les condamnations aberrantes.

Le rapport de Vance, interprété *a contrario*, nous laisse ainsi penser que si Nafissatou Diallo avait commencé à mentir avec l'accusation qu'elle porta contre Dominique Strauss-Kahn, ce dernier aurait pu être condamné *au-delà d'un doute raisonnable* à 74 ans de prison. C'est à ce type d'horreur judiciaire que l'on parvient lorsqu'on fait de la seule parole de la victime la preuve d'un viol[2]. Certes, comme l'écrit Cyrus

---

1. Véronique Le Goaziou, *Le Viol. Aspects sociologiques d'un crime*, préface de Maryse Jaspard, Paris, La Documentation française, 2011.

2. Voir à ce sujet les déclarations de Lisa Friel, ancienne procureure adjointe au tribunal de Manhattan, qui a dirigé pendant neuf ans la célèbre Sex Crime Unit à New York (*Le Monde*, 26 septembre 2011). Elle affirme à la suite de l'intervention télévisée de DSK du

Vance Jr, ce cas de figure n'est pas l'apanage de tous les crimes sexuels, loin de là. Dans un grand nombre de cas, d'autres preuves claires et précises étayent ces accusations. Mais il n'empêche que le système laisse aussi ouverte cette possibilité. C'est pourquoi le minimum est de tenter de jauger la crédibilité de la parole de la prétendue victime, ce qui n'a rien à voir, contrairement à ce que dénoncent les féministes, avec une expertise de moralité sexuelle. À aucun moment Cyrus Vance ne fait allusion dans ses conclusions aux mœurs de Nafissatou Diallo, pas plus qu'il ne suggère, pour tenir son témoignage pour non fiable, qu'elle ait pu se livrer à la prostitution. Qui plus est, il ne lui reproche même pas d'avoir voulu s'enrichir de manière illicite par une telle accusation, en disant d'une manière expresse qu'« il n'y a rien

---

18 septembre 2011 qu'il ment, car « je ne peux croire qu'elle [Nafissatou Diallo] ait inventé tout cela de toutes pièces ». Comme si l'existence ou pas d'un viol était une foi, une intuition qui vient d'on ne sait où. Or on peut croire à ses intuitions dans la vie, mais lorsqu'il s'agit de condamner un être humain à des peines de prison colossales, les revendiquer devient irresponsable, honteux et coupable.

de répréhensible à vouloir obtenir réparation de la part d'un défendeur ».

Or, au-delà de ses mensonges sur sa vie avant l'accusation, Nafissatou Diallo a changé à trois reprises[1] au cours de l'enquête sa version de l'agression sur des points cruciaux. Cette question est l'une de celles qui ont le plus fait l'objet de tergiversations dans les médias. Ainsi a-t-on dit que c'était seulement ce qu'elle avait fait après l'agression qui avait changé dans les différentes versions. Il se révèle que ces prétendus détails mineurs de l'« après-viol » sont fondamentaux pour déterminer la vraisemblance de ce dernier. D'abord, sa durée. Son récit doit coïncider avec une temporalité probable. Or celle-ci peut varier entre moins de sept minutes et vingt minutes selon les versions. Ensuite, l'attitude que l'on attend d'une personne qui a été victime d'une agression aussi violente. Dans un cas, elle va nettoyer une autre chambre, comme si de rien n'était ; dans un autre, elle se réfugie dans un couloir ; dans

---

1. La première version fut changée le 28 juin, et la deuxième version le fut de nouveau le 27 juillet 2011.

un autre encore, elle revient nettoyer la suite dans laquelle elle vient d'être violée. Enfin, ce qu'elle aurait déclaré à ses responsables immédiatement après l'agression prétendue ne correspond pas à certaines des versions qu'elle a données au procureur.

D'autre part, dans sa dernière version des faits, elle assurait ne pas avoir donné la précédente devant les personnes mêmes qui l'avaient entendue pendant des heures. La véritable stupeur du procureur porte sur le fait que la jeune femme lui est apparue comme une véritable mythomane qui « a menti de façon répétée, et parfois de façon inexplicable, sur des points de grande ou de faible importance ». En s'exprimant ainsi, il cherchait sans doute aussi à justifier la précipitation et le zèle avec lesquels il avait agi au début de cette affaire, qui, d'après les éléments auxquels on avait eu accès par la presse, paraissait particulièrement invraisemblable. Et cela n'a rien à voir avec les déclarations « machistes », « élitistes » ou « de connivence » des amis et des connaissances de DSK. Le caractère invraisemblable de l'accusation venait de son contenu même, d'après la manière dont elle avait été relayée par les médias. Voici qu'une jeune femme de 32 ans, qui mesure 1,80 m, dont le travail implique l'exercice d'une activité physique régulière, une femme qui n'était ni malade ni enceinte, est attaquée par un homme nu de 62 ans qui affiche un embonpoint évident et qui ne semble pas, d'après son allure, particulièrement coutumier d'exploits sportifs. Un homme qui ne se serait servi par ailleurs d'aucune arme pour pallier son impuissance physique auprès d'elle, un homme qui la force, de surcroît, à la forme la plus compliquée du viol qu'est la fellation. On sait qu'il est impossible d'effectuer un tel acte sans que l'agresseur ait une arme, soit aidé par des complices ou se serve de menaces. Il est vrai que certains de ceux qui ont pris la défense de l'accusatrice dans les médias évoquèrent ensuite la question de la contrainte de classe, de la sidération issue de la domination, à laquelle j'ai fait brièvement allusion. Mais ce n'est pas cela que Nafissatou Diallo avait dit aux enquêteurs. En effet, dans les trois versions différentes qu'elle donna de son agression, elle n'abandonna jamais la thèse de la violence physique. Chaque fois, elle a évoqué la force et la violence, le fait d'avoir été traînée à travers la chambre, d'avoir été frappée et contrainte physiquement à s'age-nouiller et à pratiquer une fellation. C'est, par ailleurs, cette même version que tient son avo-cat Kenneth Thompson dans la plainte pour viol au civil qui devrait avoir des suites pro-chainement. Mais d'autres invraisemblances étaient tout aussi évidentes que celle de l'usage par DSK d'une contrainte physique, d'après les informations qui avaient été relayées par la presse. Ainsi, cet homme qui venait de vio-ler une femme est ensuite allé déjeuner avec sa fille, puis a téléphoné à l'hôtel où il venait de perpétrer son crime pour qu'on lui rap-porte son téléphone portable, comme si de rien n'était.

Il y avait également de quoi rester sceptique face aux informations selon lesquelles la présu-mée victime aurait craché le fruit de son viol pendant des dizaines de minutes dans un cou-loir de l'hôtel, comme si Dominique Strauss-Kahn était une sorte de banque de sperme qui aurait versé dans sa bouche des litres de ce liquide blanchâtre et coupable. Il en allait de même de la prétendue surprise de Nafissa-tou Diallo en rencontrant l'ancien patron du

FMI dans sa chambre, du fait qu'elle y soit entrée avant que le client ne soit parti et sans qu'on lui ait demandé de venir, du fait qu'elle ait demandé à sa direction à changer l'étage qui lui était réservé le jour où DSK devait se rendre à l'hôtel, tout en sachant que la venue des clients célèbres était annoncée et affichée à l'avance. Ainsi, tout laissait croire que cette rencontre, loin d'avoir été fortuite, avait été recherchée, bien que l'on ignorât les motivations de la jeune femme.

Or le scepticisme qui pouvait naître de toutes ces invraisemblances a été immédiatement attribué à des théories du complot du « peuple », censé être fasciste même lorsqu'il ne partage pas, comme c'était le cas ici, les opinions de l'extrême droite. Car la première personnalité politique à condamner publiquement Dominique Strauss-Kahn fut bel et bien Marine Le Pen.

Mais ce crédit que la justice américaine avait prêté à l'invraisemblable est le propre du crime sexuel moderne, si attaché à ne laisser échapper aucun suspect potentiel des mailles du système pénal. En France, on a pu voir le résultat de cette manière de faire lorsqu'en 2004 explosa l'affaire d'Outreau. Aux États-Unis, dès le début des années 1980 et jusqu'au milieu des années 1990, le pays entier se crut victime d'un complot pédophile sataniste ; on décrivait des violeurs parés d'ailes de diable et volant dans les airs, et cette folie collective, cette fois aveugle dans la parole accusatrice, ne s'arrêta qu'avec la parution d'un rapport que Clinton demanda au Sénat en 1994[1].

Cette foi dans la parole invraisemblable, outre sa visée pratique – car, par ce biais, on compte découvrir de véritables abus qui n'ont pas pu être exprimés d'une manière appropriée –, a aussi une valeur symbolique. Comme si, en agissant ainsi, on montrait la place fondamentale de ce type de dénonciations et le crédit que le système pénal lui accorde à l'avance. C'est dans de telles conditions d'extrême bienveillance à l'égard de la parole accusatrice que Cyrus Vance Jr considéra que celle

---

1. Pour l'histoire et l'analyse de cette véritable chasse aux sorcières moderne, voir Debbie Nathan et Michael Snedeker, *Satan's Silence. Ritual Abuse and the Making of a Modern American Witch Hunt* (1996), New York, Author's Choice Press, 2001.

de Nafissatou Diallo ne pouvait convaincre un jury au-delà du doute raisonnable.

Que signifie donc dans un tel contexte le fait d'affirmer que le procureur américain a commis un déni de justice à l'égard de la jeune femme ? Ce n'est sans doute pas l'idée qu'un procès aurait permis d'établir toute la vérité, car le procureur a précisément anticipé la décision d'un jury confronté à un témoin aussi peu fiable. Qui plus est, on peut imaginer que, même si un jury s'était réuni pour juger DSK et que celui-ci avait été acquitté, les réactions des féministes auraient été les mêmes. Elles auraient accusé, comme elles le font à l'occasion des non-lieux et des acquittements en France, une justice sexiste et méfiante vis-à-vis de la parole des femmes[1].

En vérité, ce que les militants ont dénoncé, c'est l'existence même d'un examen portant sur la crédibilité de la parole accusatrice, car, à leurs yeux, *une femme ne saurait mentir* lorsqu'elle reproche à un homme un tel crime. Et peu importe que Nafissatou Diallo ait pu

---

1. Voir Christine Delphy (dir.), *Un troussage de domestique*, Paris, Syllepse, 2011.

manquer à la vérité sur bien d'autres points, y compris sur les circonstances précises de l'agression. En tant qu'accusatrice de viol, la puissance de sa parole reste intacte.

Deux explications ont été avancées pour rendre compte de cet étrange miracle.

La première, très factuelle, a été exprimée par l'ancienne procureure Lisa Friel dans l'interview que j'ai déjà citée. Elle affirme que le traumatisme des victimes d'un viol peut les mener à mentir, à ne pas se souvenir de ce qui s'est passé, à confondre réalité et délire, et que, malgré tout, il faut les croire car, sur le fond, elles ne mentent guère. Or il semble impossible, dans de telles circonstances, d'amorcer un quelconque processus de preuve contradictoire et rationnel. La parole de la femme qui dit « j'ai été violée par untel » se présente comme celle d'un oracle ou d'un être dont les assertions paraissent hors des contingences temporelles et spatiales du restant des mortels. Elle déclare et elle veut que l'accusé termine ses jours en prison pour qu'elle puisse recouvrer sa santé. Cette même idée avait été suggérée par des journalistes commentant une affaire de viol en France qui se révéla une erreur judiciaire[1] : la jeune femme avait bel et bien été molestée, mais pas par celui qu'elle avait désigné. À leurs yeux, le traumatisme de la victime l'avait menée à dénoncer quelqu'un d'autre, mais sur le fond elle n'avait pas menti. Il n'empêche que le faux coupable passa sept longues années en prison. Cet exemple peut en lui-même servir d'objection aux théories de l'ancienne procureure. Car si les femmes ne se souviennent pas des circonstances précises de l'agression à cause de leur traumatisme, pourquoi se souviendraient-elles avec certitude de l'identité de leur agresseur ? Ainsi peut-on immédiatement comprendre le danger d'une telle théorie de la vérité de la parole accusatrice, car elle peut se transformer en une machine à produire des erreurs judiciaires.

La seconde explication est pragmatique. Elle part du postulat répété à l'envi par les militantes féministes selon lequel le nombre de femmes qui mentent est « infime » au regard de celles qui disent la vérité et craignent de

---

1. *Libération*, 25 juin 2011. C'était l'affaire Loïc Sécher, condamné à tort par son accusatrice et qui a fait sept ans de prison.

ne pas être crues. Et ce serait au nom de ce nombre infime de menteuses que le viol serait impuni en France. C'est pourquoi il vaudrait mieux créer une présomption irréfragable selon laquelle une femme ne saurait mentir : tout examen de la bonne foi de la parole accusatrice devrait être éliminé afin que cette impunité du viol cesse. Si, pour ce faire, on doit condamner quelques innocents, le résultat final de cette opération serait équitable. Certes, cet argument ne saurait être acceptable dans une société qui protège les droits et les libertés des citoyens, car il implique de sacrifier des innocents pour punir des coupables. Or toute la stratégie de ces mouvements a été de montrer qu'une telle idée, si révoltante quand on l'applique à d'autres crimes ou délits, ne l'est pas dans le cas du viol. La seule solution envisageable pour que ce crime ne reste pas impuni serait de faire comme si la parole d'une femme qui accuse un homme de viol était toujours fiable. Pour étayer la nécessité d'un tel changement, les militantes féministes n'ont eu de cesse d'invoquer le chiffre noir du viol tiré des enquêtes de victimation.

Depuis une dizaine d'années, ces enquêtes montrent qu'il y a un écart entre le nombre de femmes qui disent avoir été violées à ceux qui les interrogent et celles qui dénoncent leur agresseur. Ainsi, à la suite de la première enquête, menée en 2000[1] et portant sur les violences faites aux femmes – dont j'ai eu l'occasion, avec le démographe Hervé Le Bras, de critiquer aussi bien la validité comme outil d'exploration de la réalité des violences que les présupposés politiques –, il fut avancé le chiffre alarmant et tenu pour bas de 48 000 viols par an[2]. Des enquêtes postérieures[3] ont encore augmenté ces estimations,

---

1. M. Jaspard *et al.*, «Nommer et compter les violences envers les femmes : une première enquête nationale en France », *Population et sociétés*, n° 364, janvier 2001.

2. Pour l'ensemble des critiques que nous avons formulées au sujet de cette enquête avec Hervé Le Bras, voir «Homo mulieris lupus ?», *Les Temps modernes*, 58ᵉ année, février-mars-avril 2003, n° 623, p. 112-132.

3. N. Bajos, M. Bozon, «Les agressions sexuelles en France : résignation, réprobation, révolte», *in* N. Bajos, M. Bozon (dir.), *Enquête sur la sexualité en France*, Paris, La Découverte, 2008, p. 381-407. Voir aussi l'enquête

au point que, selon les calculs établis à partir de celles-ci par Véronique Le Goaziou en 2011, il se produirait entre 50 000 et 120 000 viols par an en France, ce qui place le chiffre noir à des hauteurs époustouflantes : seuls 10 % des viols de femmes adultes seraient dénoncés par an[1]. Lors de l'affaire DSK, l'enquête de victimation la plus citée fut celle de l'ONDRP et de l'Insee, réalisée en 2007 et 2008, où l'on estimait à 150 000 le chiffre noir du viol pour cette période, soit une moyenne de 75 000 par an.

Il serait inutile de me livrer ici à une critique de ces enquêtes et de tout ce qu'elles présupposent et proposent de manière implicite. Inutile surtout parce qu'on ne voit pas très bien à quel titre elles peuvent être invoquées dans cette affaire comme preuve de la nécessité de

---

« Événements de la vie et santé », conduite en 2005 par la DRESS et l'Insee, et l'enquête CVS (cadre de vie et sécurité), réalisée pour la première fois en 2007 par l'Insee.

1. Ce sont les mêmes pourcentages, les mêmes chiffres noirs qui sont donnés par les enquêtes de victimation concernant les violences conjugales.

donner une nouvelle puissance à la parole de la victime pour que le viol ne reste pas impuni.

En effet, le chiffre noir ne rend pas compte des situations comme celle de Nafissatou Diallo, qui, elle, porta plainte. Ce que l'on voulait souligner dans ces enquêtes, c'est le nombre de gens *qui ne s'adressent pas à la justice*. Ce sont les chiffres noirs des plaintes et non pas les écarts entre les plaintes et les condamnations. Et ce sont ces derniers qui auraient dû être mis en avant si l'on avait voulu critiquer la décision de la justice américaine afin de souligner les failles du système français. On aurait pu ainsi démontrer que ce sont les questions de preuve qui rendent impossible que les agresseurs soient condamnés et donc qui découragent les victimes. Or les écarts entre les dénonciations de viol et les condamnations ne pouvaient impressionner l'opinion publique car, pour un peu plus de 10 000 plaintes, on compte environ 2 000 condamnations par an.

Par ailleurs, les sociologues n'attribuent pas le chiffre noir du viol aux garanties des accusées, et ce lien n'apparaît nullement dans ces enquêtes. Ils suggèrent plutôt de les accompagner davantage, de mener des campagnes pour qu'elles portent plainte, et parfois pour les aider à démêler les vrais viols des viols imaginaires[1]. De plus, des auteurs comme Véronique Le Goaziou critiquent ouvertement la solution consistant à passer outre les garanties des accusés dans le procès pénal que certains des témoignages tirés d'ouvrages qu'elle cite semblent implicitement critiquer.

Le fait que l'on change la procédure pénale, que l'on diminue les droits de l'accusé, ne signifie pas que les femmes qui ne portent pas plainte pour le viol qu'elles ont subi vont le faire. En effet, un changement de procédure encouragerait les fausses dénonciations et la condamnation des innocents. Les femmes qui ne dénoncent pas leurs violeurs pour des raisons autres que celles liées à la crédibilité de leur parole ne s'adresseraient pas pour autant à la justice.

---

1. Pour la question de la participation des psychothérapeutes dans la production des souvenirs de viols imaginaires, voir, entre autres, Debbie Nathan et Michael Snedeker, *Satan's Silence, op.cit.* ; Ian Hacking, *L'Âme réécrite. Étude sur la personnalité multiple et les sciences de la mémoire*, Paris, Les Empêcheurs de penser en rond, 1998.

Ainsi, il semble difficile d'établir un lien de causalité suffisamment clair entre les garanties des accusés et le nombre des viols non portés à la connaissance de la justice. En revanche, ce dont on peut être sûr, c'est que le nombre des erreurs judiciaires augmenterait si la crédibilité de la parole des femmes qui accusent un homme de viol n'était pas examinée.

En outre, dans ces enquêtes, on ne donne pas pour certain que les femmes – et les hommes aussi, d'ailleurs – qui disent avoir été violées l'ont véritablement été. Ce sont des déclarations unilatérales de personnes qui affirment avoir été l'objet de viols. Dans les questions qui leur sont posées, on ne leur demande pas d'indiquer les faits auxquels elles font allusion de sorte qu'on puisse les comparer avec les définitions juridiques de cette infraction.

Par ailleurs, élément très important à souligner, le chiffre noir recense essentiellement des viols commis au sein du couple[1]. Dans

---

1. Dans l'enquête ANVEFF, ce sont 50 % des cas. Dans l'enquête CSF, le partenaire est incriminé dans 35 % des cas, et dans l'enquête CVS dans trois cas sur quatre. Or, dans les affaires judiciaires que Véronique Le

l'enquête CVS, trois viols sur quatre non dénoncés sont le fait du mari ou du compagnon. Or on sait que les conflits conjugaux peuvent mener à penser et donc à déclarer que l'on a été l'objet d'un rapport forcé par son partenaire, alors qu'en réalité il s'agit de situations complexes, telles que le chantage affectif ou autre, qui ne sauraient entrer dans les définitions légales du viol[1].

Ainsi, si ces femmes qui disent aux sociologues avoir été violées avaient des facilités supplémentaires pour prouver que ce crime a été

Goaziou a analysées, seuls 4 % portaient sur le viol au sein du couple. En revanche, les femmes qui sont violées par des inconnus (17 % selon l'enquête de Véronique Le Goaziou) portent immédiatement plainte. Cf. Véronique Le Goaziou, *Le Viol, op. cit.*, p. 33.

1. Le viol entre époux n'a pas été puni pendant presque deux siècles. C'est à la suite de la réforme du droit du viol de 1980 que la jurisprudence a décidé qu'il pouvait y avoir viol entre époux (1992). Par la suite, une loi de 2006 a considéré le viol au sein du couple comme une circonstance aggravante. Voir Marcela Iacub, *Le crime était presque sexuel et autres essais de casuistique juridique*, Paris, Flammarion, coll. « Champs », 2003, et *Par le trou de la serrure. Une histoire de la pudeur publique*, Paris, Fayard, 2008.

commis – comme la présomption irréfragable de leur bonne foi –, il faudrait encore que les faits qu'elles dénoncent puissent être qualifiés de viol par la justice. Autrement, il ne servirait à rien de faciliter la preuve d'un fait que le droit pénal ne punit guère, car il n'y aurait pas de coupable à condamner. Et l'on ignore le pourcentage des viols qui ne correspondent pas aux définitions légales dans le chiffre noir.

Par conséquent, le fait d'éliminer l'examen de crédibilité de la parole accusatrice n'aurait d'influence ni sur les femmes qui ne portent pas plainte lorsqu'elles ont été violées, ni sur celles qui portent plainte mais qui n'ont pas été violées.

C'est pourquoi la revendication consistant à octroyer à la parole de la femme une présomption de bonne foi ne vise en réalité qu'à combler l'écart qui existe entre les dénonciations et les condamnations, et non à réabsorber le chiffre noir. En bref, à faire en sorte que, chaque fois qu'une femme déclare qu'un homme l'a violée, celui-ci soit condamné. Mais pour atteindre un tel but il faudrait aussi modifier la définition juridique du viol, et plus précisément la notion de contrainte, de non-consentement à un acte sexuel, de sorte que le sentiment d'avoir été l'objet d'un tel crime – que les statistiques de victimation révèlent – puisse donner lieu à une condamnation. Ainsi, l'accusation que Nafissatou Diallo a portée contre Dominique Strauss-Kahn est apparue particulièrement propice pour mettre en avant cette double revendication.

Pour mieux comprendre les modifications que ces militantes voudraient voir imprimer dans le droit français du viol, il faut examiner comment on punit ce crime en France.

C'est que nous allons faire maintenant.

Chapitre 4

Le viol, un crime impuni ?

En dépit de ce que disent les militantes féministes, les plaintes pour viol n'ont cessé de croître au cours des dernières décennies. Dans les années 1970, environ 1 500 viols étaient dénoncés par an. Ce chiffre dépasse aujourd'hui la barre des 10 000[1]. Cela s'explique en partie par toutes les mesures prises depuis la fin des années 1980 pour faciliter, accueillir, voire encourager les plaintes. Entre

---

1. Cette forte augmentation s'est faite entre le milieu des années 1980 et la fin des années 1990. On constate une baisse depuis le début des années 2000 des faits constatés par la police et la gendarmerie. Or celle-ci est compensée par les dossiers ouverts par les parquets, qui ont continué à croître entre 2003 et 2008. Cela signifie qu'une part importante des plaintes sont arrivées en justice sans transiter par la police et la gendarmerie. Cf. Véronique Le Gaziou, *Le Viol, op.cit.* p. 17.

1989 et 2004, cinq lois ont allongé les délais de prescription. Une circulaire de 1998[1] précise qu'il convient d'apporter « une attention particulière aux victimes d'agressions sexuelles » à tous les stades de la procédure. Pendant la phase de l'enquête, la plainte doit être recueillie par des services spécialisés, et une équipe composée d'enquêteurs, de psychologues et de médecins effectue les premières constatations. Au stade du procès, l'institution judiciaire dispose d'un réseau de services pour informer les plaignants de leurs droits et les aider à assurer leur défense. Par ailleurs, le code de procédure donne au parquet la possibilité de recourir aux associations d'aide aux victimes afin de les assister dès le début de leurs démarches. Certaines associations de lutte contre les violences sexuelles peuvent, en outre, se constituer partie civile à leurs côtés. Une circulaire de 2005[2] supprime l'expertise de crédibilité par laquelle le psychiatre évaluait leur parole. La loi du 9 septembre 2002 leur accorde l'aide

---

1. 13 juillet 1998.
2. 2 mai 2005.

juridictionnelle sans plafond de ressources. Les associations regroupées dans l'INAVEM ont conclu des conventions avec le barreau afin que les avocats rappellent aux victimes d'agression sexuelle qu'elles peuvent obtenir la réparation intégrale de leur préjudice devant la Commission d'indemnisation des victimes d'infractions (CIVI).

C'est pourquoi si, en 1976, seules 693 des personnes sous écrou l'étaient pour viols, agressions et atteintes sexuelles, en 2005 elles étaient 8 670 et 7 631 en 2011[1]. Si en 1976 elles représentaient 4 % de la population carcérale, ce chiffre monte à 14,9 % en 2011, ayant atteint en 2001 le sommet de 24,2 %.

Par ailleurs, depuis 1984 un nombre de plus en plus important de personnes ont été condamnées pour viol à des peines qui sont toujours en augmentation. La part des peines lourdes (de 10 à 20 ans de prison)[2] est passée de 16 à 40 % entre 1984 et 2008.

---

1. Dont 2 865 sur majeur et 4 766 sur mineur pour l'année 2011. Cf. Pierre V. Tournier, *Les Infractions sexuelles*, thèse, Paris, 2011.

2. Véronique Le Goaziou, *Le Viol*, *op. cit.*, p. 201.

Cela s'explique parce que l'auteur d'un viol encourt des peines qui vont de 15 ans à la perpétuité, selon qu'il s'agit d'un viol simple ou d'un viol aggravé. Comme le souligne Francis Caballero, la France se situe nettement au-dessus de ses voisins pour les peines prévues pour le viol simple, puisqu'aucun d'eux ne prévoit de peines supérieures à douze ans, avec un maximum de trois ans en Suisse[1]. Ainsi, la rigueur pour punir le viol en France est seulement comparable à celle de la Grande-Bretagne et des États-Unis[2].

Mais le viol est aussi puni de peines et de mesures extraordinaires, outre l'emprisonnement,

---

1. Les peines encourues pour le viol simple sont les suivantes : 12 ans en Espagne et aux Pays-Bas, 10 ans en Allemagne, en Italie, en Belgique et au Portugal, 8 ans au Danemark et 3 ans en Suisse. *Rapport du Sénat. Étude de législation comparée*, n° 178, octobre 2007, et F. Caballero, *Droit du sexe*, Paris, LGDJ, 2010, p. 607.

2. L'État de la Louisiane avait prévu la peine de mort pour le viol des mineurs, mais la Cour suprême la déclara inconstitutionnelle : Kennedy v. Louisiana, 25 juin 2008, 554 US, cité *in* F. Caballero, *Droit du sexe*, *op. cit.*, p. 607.

comme le suivi socio-judiciaire, la rétention de sûreté et la surveillance de sûreté, conçus pour prévenir la récidive. Car les délinquants et les criminels sexuels sont tenus pour des malades incurables punis aussi bien pour leurs actes que pour ce qu'ils sont. Ils sont punis pour ce qu'ils ont fait dans le passé et pour ce que l'on croit qu'ils feront dans l'avenir. Cette articulation entre crime et maladie mentale explique l'ensemble des mesures vouées à prévenir la récidive, ces « peines après la peine » qu'on leur applique lorsqu'ils sortent de prison[1]. Ces mesures supposent en outre que ces individus sont voués par la nature de leurs pulsions à commettre à chaque passage à l'acte des infractions sexuelles plus graves. Comme si chacune de leurs transgressions était un pas vers la suivante dans une échelle ascendante vers le mal et l'indicible.

À partir de la loi de 1998 qui crée le suivi socio-judiciaire, les dispositions en ce sens se

---

1. Voir Marcela Iacub, « L'esprit des peines : la prétendue fonction symbolique de la loi et les transformations réelles du droit pénal en matière sexuelle », *L'unebévue. Revue de psychanalyse*, n° 20, automne 2002, p. 9-28.

sont multipliées : un texte par an depuis 2005[1]. Même s'il a été maintes fois montré que les criminels et les délinquants sexuels ont un taux de récidive bas, inférieur à celui d'autres infractions, ces dispositions justifient l'apparition des nouvelles sanctions qui s'ajoutent aux longs enfermements. Ainsi, le suivi socio-judiciaire soumet ces personnes à des mesures de surveillance et de soins après la peine pendant des périodes qui peuvent aller jusqu'à trente ans. La surveillance judiciaire renforce ce contrôle par un bracelet électronique et la rétention de sûreté retarde la sortie de prison pour ceux qui sont tenus pour particulièrement dangereux.

---

1. Cinq lois entre 1989 et 2004 ont allongé les délais de prescription et repoussé leur point de départ. La loi du 9 mars 2004 a allongé la durée du suivi socio-judiciaire, la loi du 12 décembre 2005 a créé la surveillance judiciaire des auteurs récidivistes, la loi du 10 août 2007 l'obligation de l'injonction de soins pour toutes les mesures de suivi des condamnés pour des infractions sexuelles, la loi du 25 février 2008 la surveillance de sûreté rétroactive et la rétention de sûreté applicable à certains condamnés présentant une dangerosité exceptionnelle.

Comme le signalent un grand nombre d'auteurs, le viol, « sous l'effet combiné de la multiplication des plaintes et de la sévérité croissante des peines, se situe désormais au point de plus grande intensité répressive de notre système pénal[1] ».

Par ailleurs, contrairement à ce que l'on croit, un acte sexuel n'est pas qualifié comme étant un viol seulement lorsqu'il a été obtenu par la violence. Depuis le milieu du XIXe siècle, on exige qu'une femme ait donné son consentement et pas seulement qu'elle n'ait pas résisté pour qu'un tel acte ne puisse pas être qualifié de viol. Cette question s'était posée en 1857[2] lorsque la Cour de cassation avait dû décider si un homme qui pénètre sexuellement une

---

1. F. Caballero, *Droit du sexe, op. cit.*, p. 609, et Xavier Lameyre, « La préhension pénale des auteurs d'infractions sexuelles », *AJ Pénal*, 2004, n° 2, p. 54.

2. Crim. 25 juin 1857 : S 57, 1, 711. Par la suite furent condamnés aussi les hommes ayant pénétré des femmes dans des états d'hypnose et de léthargie profonde. Pour une histoire juridique du viol, voir Michèle Bordeaux, Bernard Hazo et Soizic Lorvellec, *Qualifié viol*, Genève, Méridiens Klincksieck, coll. « Médecine et Hygiène », 1990.

femme endormie pouvait être condamné pour viol, et sa réponse avait été positive.

Par ailleurs, la jurisprudence se montre de plus en plus ouverte pour constater l'absence de consentement à un acte sexuel et donc pour qualifier celui-ci de viol. En effet, le consentement que l'on exige en matière sexuelle est un consentement « éclairé », et la rigueur avec laquelle la jurisprudence le considère fait dire aux juristes qu'il est comparable à celui que l'on doit donner pour un acte chirurgical ou pour la pratique des sports violents[1].

Plus précisément, l'absence de consentement de la victime d'un viol résulte de l'utilisation par celui qui la pénètre sexuellement[2] de

---

1. Luc-Michel Nivôse, « Les éléments constitutifs du viol. Rapport sur l'arrêt de la chambre criminelle du 9 décembre 1993 », *Droit pénal,* avril 1994.

2. Par ailleurs, depuis la loi de 1980, la notion de pénétration sexuelle pour caractériser un viol ne se limite pas au coït mais inclut aussi la sodomie et la fellation. En ce qui concerne les pénétrations vaginales et anales, il n'est pas nécessaire que ce soit le sexe masculin qui soit introduit ; cela peut-être des doigts ou des objets quelconques. La jurisprudence fournit les exemples les plus variés des objets autres que le sexe

violence, de menace, de surprise ou de toute autre forme de contrainte[1]. Or l'existence de violence, de menace, de surprise, de contrainte est de plus en plus facile à faire valoir. Et même si c'est en principe au ministère public d'en faire la preuve, la jurisprudence a tendance à en décider autrement. Ainsi, elle met à la charge de la personne poursuivie la preuve qu'elle n'a pas obtenu un acte sexuel sans le consentement de celle qui l'accuse de l'avoir violée[2].

Par ailleurs, la jurisprudence est prompte à considérer que dans une situation donnée il y a eu force, menace ou surprise. Ainsi a-t-elle

----

masculin que l'on peut introduire pour qu'il y ait viol : carottes, concombres, doigts, cuillère, bougie, etc. Pour un examen de cette fascinante question de la notion de « sexuel » dans le droit du viol, voir Marcela Iacub, *Le crime était presque sexuel et autres essais de casuistique juridique, op.cit.*

1. L'art. 222-23 du Code pénal définit ce crime comme tout acte de pénétration sexuelle, de quelque nature qu'il soit, commis sur la personne d'autrui par violence, contrainte, menace ou surprise.

2. Michèle-Laure Rassat, Éditions Juris-Classeur, 1995, p 10.

considéré que, même en l'absence de toute résistance de la victime, on doit tenir compte de la disproportion des forces en présence[1], de la supériorité physique de l'agresseur[2], voire de la seule corpulence d'un homme tirant par le poignet une femme plus petite[3] pour retenir l'absence de consentement. Il en fut de même dans une affaire dans laquelle la victime a déclaré que l'accusé lui avait maintenu la tête pour qu'elle lui fasse une fellation[4].

C'est parce que le consentement doit être donné d'une manière positive que les juges considèrent qu'il y a viol lorsqu'il y a rapport sexuel avec une femme ivre[5], hypnotisée[6], endormie ou soumise à des substances médicamenteuses telles que le GHB, ou « drogue du viol »[7]. C'est pour les mêmes raisons que la jurisprudence qualifie comme étant des viols les rapports des médecins avec leurs patientes

1. Crim. 19 mai 2002, n° 02-82125.
2. Crim. 24 septembre 1998, n° 98-83624.
3. Crim. 11 mai 2005, n° 05-81216.
4. Crim. 8 juin 1994. Bull. crim. n° 226.
5. Crim. 18 octobre 2006, n° 06-85924.
6. Crim. 4 avril 2007, n° 07-80253.
7. Crim. 10 décembre 2008, n° 08-86558.

quand ils profitent de leur position pour les faire se déshabiller et les pénétrer sans qu'elles se méfient[1].

Par ailleurs, à la différence de ce qui se passait jusqu'aux années 1970, le fait qu'une femme se trouve dans une situation sexuelle avec un homme ne rend pas l'accusation de viol moins plausible. Ainsi, la jurisprudence considère que le fait pour une femme de se laisser embrasser, toucher, voire le fait qu'elle accepte de faire une fellation rendent néanmoins crédible son refus d'une pénétration sexuelle[2], tout comme le fait qu'il s'agisse d'une « fille facile[3] », voire d'une prostituée[4]. D'autre part, comme je l'ai déjà signalé, le fait que les partenaires soient en couple aggrave cette infraction, qui est punie, depuis une loi de 2006, de vingt ans de prison.

Comme l'écrit Francis Caballero, la notion de contrainte sexuelle est devenue tellement facile à établir qu'un homme accusé de viol

---

1. Crim. 30 septembre 2008, n° 08-85037.
2. Crim. 6 avril 1993, n° 93-80185.
3. Crim. 28 juin 1995, n° 95-81879.
4. Crim. 13 juin 2007, n° 07-82499.

par une femme avec laquelle il a entretenu un rapport sexuel doit, pour convaincre les juges du contraire, prouver qu'elle était mythomane, qu'elle avait des désirs de vengeance ou un intérêt financier à l'accuser. Ainsi, l'examen de la crédibilité de la parole de la femme qui accuse un homme de l'avoir violée semble le seul obstacle de taille pour obtenir une condamnation pénale, obstacle que les mouvements féministes voudraient éliminer. Concrètement, cela revient à ce qu'une femme qui a entretenu avec un homme un rapport sexuel puisse invoquer la force, la menace, la surprise sans que la sincérité de sa parole puisse être mise en cause. De fait, il suffirait que l'existence de ces formes de la contrainte sexuelle soit vraisemblable selon les critères actuels, qui sont déjà très larges et donc peu soucieux des droits des accusés, pour qu'un homme soit condamné pour viol. C'est un tel changement que ces mouvements voudraient faire advenir lorsqu'ils réclament que la parole de la femme qui accuse un homme de viol devrait être présumée vraie d'une manière irréfragable.

La deuxième revendication, celle de la création d'une nouvelle forme de la contrainte

sexuelle résultant de la « sidération psychique »,
qui s'ajouterait à la force, à la menace et à la
surprise, est encore plus radicale que la première. Elle suppose une contrainte de type psychique qui n'est pas perçue comme telle par
l'homme avec lequel une femme a un rapport
sexuel car cette dernière a l'air de consentir,
voire peut croire sur le moment qu'elle consent.
L'admission de la « sidération psychique » pour
établir l'absence de consentement reviendrait à
ce que le seul fait d'avoir entretenu un rapport
sexuel avec un homme en dehors de toute vraisemblance d'une quelconque contrainte objective (force, menace, surprise) suffise pour le faire
condamner pour viol. En outre, cette parole ne
devrait même pas être soumise à l'examen de
crédibilité. La seule défense que l'accusé pourrait opposer, c'est qu'il n'a pas entretenu, en
vérité, de rapport sexuel avec celle qui le désigne
comme son violeur.

En France, l'influence du féminisme radical a
induit dans les années 2000 certaines décisions
judiciaires qui se sont contentées, pour caractériser la contrainte, de cette notion de « sidération psychique ». Mais c'étaient des situations
sexuelles peu classiques à l'époque où l'affaire

dite des « tournantes » avait tant attiré l'opinion publique. C'est ainsi qu'un tribunal a employé la notion de « sidération psychique » dans une affaire où une jeune femme avait traversé plusieurs fois la ville pour se rendre à l'endroit où elle allait se faire violer par plusieurs garçons, et ce pendant plusieurs semaines[1]. Même si dans ce cas on se trouvait devant une rétractation et non pas une absence de consentement, les juges n'ont pas hésité à le tenir pour un viol.

Clémentine Autain, dans son livre *Un beau jour... Combattre le viol*[2], qu'elle a écrit pour donner du sens à l'affaire du Sofitel, n'hésite pas à consacrer un chapitre à la « sidération psychique ». C'est cette forme d'émerveillement face au pouvoir des mâles qui explique à ses yeux pourquoi les femmes qui ont l'air d'avoir consenti à un rapport sexuel, en vérité, n'y consentent guère. C'est pourquoi, écrit-elle, « des femmes robustes d'un mètre quatre-vingts peuvent être violées par des hommes chétifs d'un mètre soixante. C'est ainsi que la

---

1. Cité par *Le Monde*, 23 juin 2003.
2. Clémentine Autain, *Un beau jour... Combattre le viol*, Montpellier, Éditions Indigène, 2011.

fellation, qui suppose une part active chez celle qui ouvre la bouche, peut être obtenue par un homme imposant sa violence symbolique, son autorité. Une femme détient théoriquement la possibilité de fermer les dents pour blesser grièvement le sexe masculin, mais elle est sous emprise, apeurée, obéissant aux injonctions de l'agresseur[1] ». Et elle n'hésite pas à relier cette emprise, cette « sidération », à la « domination sexiste » : « Il n'en reste pas moins, écrit-elle, que le sentiment d'avoir été piégée, incapable de se défendre et d'opposer un "non" catégorique assorti de cris et de coups pour dissuader l'homme de violer, alimente ce sentiment de honte et de culpabilité ressenti par les femmes victimes. On ne comprend rien à ces crimes et délits, conclut-elle, si l'on n'a pas en tête les rapports sociaux entre les sexes, si l'on ne relie pas ces violences à l'héritage patriarcal[2]. »

La notion de sidération psychique pourra inclure les compagnes qui, au lieu de dire non, acceptent un rapport sexuel pour contenter leur partenaire, les jeunes femmes qui commencent

---

1. *Ibid.*, p 13.
2. *Ibid*, p 15.

leur vie sexuelle en n'étant pas trop sûres de ce qu'elles font, les histoires d'un soir que l'on regrette parce qu'elles n'ont pas duré ou parce qu'elles ont existé, les aventures sexuelles un peu atypiques, comme le sexe en groupe, que l'on peut trouver désagréables lorsqu'on y pense par la suite, et la liste peut s'allonger à l'infini. Certes, nous pouvons parfois apercevoir ces situations d'une manière métaphorique comme étant des viols, car nous avons tendance à utiliser les figures de style pour indiquer *a posteriori* que nous n'avons pas été véritablement libres. Mais il s'agit d'un regret ou d'un remords et non d'un viol. Et l'on peut imaginer que beaucoup de femmes qui disent aux sociologues qui les interrogent dans les enquêtes de victimation avoir été violées se trouvent dans de telles situations et que, si elles ne portent pas plainte, c'est parce qu'au fond d'elles-mêmes elles savent que l'on ne doit pas confondre une métaphore avec la réalité.

Ainsi, cette opération politique que les mouvements féministes cherchent à mettre en œuvre à travers l'affaire DSK vise non seulement à fragiliser encore davantage les droits des accusés, et donc à faire condamner de faux coupables, mais aussi à donner une nouvelle définition de cette infraction, et donc à produire des viols nouveaux.

C'est pourquoi on peut avancer que la prétendue impunité de ce crime n'est qu'un subterfuge pour revendiquer le droit exorbitant des femmes à qualifier juridiquement un rapport sexuel comme étant consenti ou contraint. Bref, pour leur octroyer le pouvoir arbitraire et discrétionnaire de faire condamner pour viol l'homme avec qui elles ont entretenu un rapport sexuel.

Et ceux qui pourraient m'accuser de faire un procès d'intention n'ont qu'à être attentifs à la manière dont ces groupes suivis par les médias calculent les viols impunis en France. À leurs yeux, toute femme qui dit avoir été violée – soit qu'elle n'ait pas porté plainte devant la justice, soit que celle-ci l'ait déboutée – est victime d'un crime impuni. Ainsi, Christelle Hamel[1], à partir du chiffre noir de 75 000 viols et de 2 000 condamnations par la justice, en déduit qu'il y aurait en France 73 000 viols impunis. Comme si, d'une part, les non-lieux et les acquittements

---

1. Christelle Hamel, « Violences faites aux femmes : la volonté de ne pas savoir », *in* Christine Delphy (dir.), *Un troussage de domestique, op. cit.*, p. 85-95.

de la justice étaient faux et que, de l'autre, toutes les déclarations faites aux enquêteurs étaient en revanche vraies. Ce sont les mêmes pourcentages qui sont évoqués par *Le Journal du dimanche* le 31 octobre 2011 : seuls 2 % des viols seraient condamnés en France. Or, pour que ces calculs soient vrais, il faudrait que les femmes aient ce pouvoir, que la justice ne devrait faire qu'enregistrer, de qualifier un rapport sexuel comme étant un viol, pouvoir que notre droit ne leur reconnaît pas *encore*.

Si folle que cette revendication puisse paraître, elle a comme support une théorie du viol soutenue par le féminisme radical qui se différencie nettement de celle qui a inspiré la législation actuelle sur le viol. Selon la première, le but de cet interdit n'est pas de protéger le consentement des personnes à la sexualité, mais de lutter contre la domination que les hommes exercent sur les femmes en les violant. C'est pourquoi il convient de l'examiner d'un peu plus près pour montrer qu'elle est cohérente avec la revendication insensée que je viens d'évoquer.

Chapitre 5

Le viol sexiste

Aux yeux des courants féministes[1] qui se sont fait entendre lors de l'affaire DSK, le sexisme est une haine active, structurelle, quotidienne des hommes envers les femmes qui se manifeste par une série hétéroclite d'actes porteurs de violence aussi bien physique que symbolique, dont le viol est l'expression *maximale* ou *ultime*. Et s'ils qualifient ainsi ce crime, c'est parce que le lieu par excellence où s'exerce selon eux la domination masculine est la sexualité. Dans un monde sexiste, les femmes sont considérées comme de pures ressources

---

1. Pour une vision d'ensemble de ces groupes, voir Christine Delphy (dir.), *Un troussage de domestique, op. cit.,* où sont rassemblées la plupart des positions féministes qui sont intervenues dans cette affaire, hormis celles de « Osez le féminisme », dont les théories implicites ou explicites sont consultables sur leur site Internet.

sexuelles à exploiter et qu'on voudrait à tout prix *rabaisser* à ce seul statut. La haine et la violence que les hommes ressentent et expriment envers les femmes auraient pour but de maintenir leur hégémonie, d'empêcher que l'égalité des droits que nos codes nous garantissent se réalise dans les faits.

Leurs écrits nous montrent que, même si nous ne nous en apercevons point, nous, les femmes, vivons dans une sorte d'enfer. En effet, sous les dehors pacifiés d'une société comme la nôtre, les filles, les femmes, les mères, les épouses, les copines de classe, les collègues de travail sont soumises à des regards lubriques, à des bousculades, à des coups, à des mots méprisants, à des humiliations, à des attouchements, à des meurtres, à des viols, à des discriminations, à des refus de services *au motif qu'elles sont des femmes.* Comme si tant de violence ne suffisait pas, chaque fois qu'un homme commet l'un de ces actes, il signifie à une femme son infériorité, sa dépendance, il la menace, il l'humilie et la rabaisse non seulement en tant qu'individu mais aussi en tant que membre d'une classe inférieure : le genre.

Le message que les mâles sexistes adresseraient aux femmes serait plus ou moins le
suivant : ne faites pas trop les malignes, ne
paraissez pas libres et autonomes, car autrement on va vous mettre « à votre place[1] ». C'est
pourquoi, lorsqu'une femme est agressée,
toutes les femmes le sont. Cette haine omni-
présente que les hommes ressentent et expriment envers les femmes constitue ces dernières
en groupe, en minorité opprimée. Ainsi, l'identité féminine est fondée sur cette persécution
et sur cette haine. Et le viol en tant qu'acte de
domination ultime ou maximal est le lieu de
constitution par excellence de cette identité
dominée. C'est le moment où cette domination se montre dans sa vérité, dans sa brutalité,
dans son essence même. Au point que, aux
yeux de certaines auteures, on devient femme
par le viol[2]. C'est pourquoi aussi, comme je

---

1. Pour une analyse de ce message, voir Christine
Delphy (dir.), *Un troussage de domestique, op. cit.*

2. Voir, entre autres, Virgine Despentes, *King Kong
théorie*, Paris, Grasset, 2006. On trouve un exemple particulièrement intéressant de cette idée dans le film de
Pedro Almodóvar, *La piel que habito*. Le sujet femme y
apparaît comme le produit d'une castration et d'un viol.

tenterai de le montrer, on s'émancipe de cette oppression par la dénonciation et la condamnation de son violeur.

En problématisant le viol dans ces termes, cette théorie s'oppose à celle qui fonde nos lois actuelles. En effet, dans ces dernières, le crime de viol est un acte qui porte atteinte à un individu et non pas à une classe d'individus. Les hommes peuvent donc être violés tout autant que les femmes, lesquelles, en outre, peuvent violer les premiers[1]. Par ailleurs, dans notre droit, le criminel sexuel est conçu comme une sorte de malade incurable, comme un pervers et donc comme un être exceptionnel et rare. C'est pourquoi, depuis quelques années, tandis que les dispositions prévues dans les lois n'ont cessé de s'aggraver à leur endroit, le nombre de personnes incarcérées pour ces délits et ces crimes est resté relativement stable[2]. Cela signifie, en substance, que ces lois étaient en

---

1. Voir L.-M. Nivôse, « Le crime de viol et l'égalité des sexes », *Droit pénal,* avril 1998, n° 4.

2. Voir les statistiques de l'évolution de la criminalité sexuelle dans Pierre V. Tournier, *Les Infractions sexuelles, op. cit.*

train de produire une population aussi stig-
matisée par sa monstruosité que relativement
réduite. Or la théorie du viol sexiste rompt
ces équilibres. Dorénavant, c'est l'ensemble
de la population masculine qui est soupçon-
née d'être composée de violeurs en puissance.
Les militantes n'ont pas cessé de le mettre en
avant : il s'agit d'un crime ordinaire, quotidien.
Car le machisme n'est pas une maladie mentale, mais politique ; il suppose des intérêts de
groupe, il cherche à tirer des profits de la *classe
des femmes,* c'est une affaire de pouvoir[1]. C'est
pourquoi le projet d'incarcérations massives
qu'elles visent (75 000 condamnations par an
pour le viol seul) impliquerait de mettre en
place des structures pénitentiaires plus proches
des camps de concentration que des prisons
actuelles.

---

1. Voir notamment la façon dont Clémentine Autain
raconte dans son livre *Un beau jour...*, comment elle a
compris un jour que le viol dont elle avait été victime
n'était pas le fait d'un malade mental, comme elle l'avait
cru pendant longtemps, mais un crime ordinaire dû à la
domination masculine, et comment les textes des féministes radicales qu'elle cite lui auraient fait comprendre
cette évidente réalité... (*op. cit.*, p. 25).

Mais pour comprendre comment ces féministes ont pu concevoir un droit des femmes à
qualifier un rapport sexuel de viol sans pouvoir
être contredites dans un procès pénal, il faut
examiner leur théorie du consentement à la
sexualité. Cette théorie s'oppose à ce qui fut la
raison même de la législation du viol moderne
instituée par la loi de 1980. Il faut se souvenir que celle-ci avait eu comme source les nouvelles règles d'organisation de la vie sexuelle
issues de la révolution des mœurs. C'est parce
que cette révolution avait octroyé à tout un
chacun le droit au sexe grâce à l'avortement,
à la pilule, à la dépénalisation de l'adultère, à
la fin de la stigmatisation des enfants naturels
et des rapports hors mariage, que l'on devait
sanctionner d'une manière efficace ceux qui
ne respectaient pas le « non », celui-ci étant le
corollaire, la condition de possibilité du « oui »[1].

---

1. Pour une présentation de cette philosophie du
viol issue de la révolution sexuelle, voir Janine Mossuz-
Lavau, *Les Lois de l'amour. Les politiques de la sexualité
en France (1950-1990),* Paris, Payot, 1991. Pour une critique de cette position, ou plutôt du fait que la législation
qui en résulta respectait une telle philosophie du consen-

Mais le plus important est que, dans la rationalité de la loi de 1980, la forme d'expression de la liberté sexuelle était le consentement. Entre cette liberté et son expression, il n'y avait pas de hiatus. C'est pourquoi, lorsqu'on affirmait que ce crime était un « viol du consentement », on rendait synonymes ce dernier et la liberté sexuelle.

Or la théorie du viol sexiste renie cet héritage de liberté en affirmant : « La révolution sexuelle est pour les hommes[1]. » En effet, aux yeux de ces féministes, le consentement à la sexualité est suspect, comme si ce dernier et la liberté sexuelle n'étaient pas la même chose. Le consentement des femmes peut être, selon elles, le résultat de la domination sexiste, il peut donc ne pas exprimer la véritable liberté. La scission entre les deux notions constitue le cœur de cette théorie du viol et des politiques sexuelles qui en résultent. Celles-ci se divisent en deux groupes. Dans le premier,

_____

tement au sexe, voir Marcela Iacub, *Le crime était presque sexuel et autres essais de casuistique juridique, op. cit.*

1. Voir Christine Delphy (dir.), *Un troussage de domestique, op. cit.*

la fausse liberté, le consentement « dominé », est présumée, et c'est pourquoi on prône des lois interdisant certaines activités, dont l'achat des services sexuels des prostituées est paradigmatique. Dans le second, c'est la législation sur le viol qui devrait être transformée pour distinguer dans des situations individuelles le consentement dominé de la vraie liberté sexuelle.

Consentement dominé présumé

Pour justifier les règles du premier groupe, la manière dont ces féministes conçoivent le viol est primordiale. En effet, à leurs yeux, ce crime est l'acte par lequel on dit à une femme que sa sexualité est à la libre disposition des hommes. C'est un message politique qui la rabaisse à la condition d'objet sexuel pur en lui enlevant sa dignité. Or cette mise à disposition du corps des femmes que les hommes obtiennent par la force dans le viol peut être acquise par le consentement dominé. Plus encore, le viol montre avec brutalité la véritable nature des consentements résultant de l'oppression machiste, comme si ce crime était une sorte de métaphore de tous les actes d'exploitation sexuelle des femmes. C'est dans le viol que toutes ces formes de sexualité prétendument libres des femmes montrent et expriment leur vérité. Par ailleurs, de la même manière que toutes les femmes sont agressées dans un viol, elles le sont tout autant lorsqu'une d'entre elles se prostitue ou joue dans un film pornographique.

C'est pourquoi, paradoxalement, le fait de faire du viol un acte de domination ultime, loin de renforcer la liberté des femmes, la nie et la dessert. Les commentaires suscités par l'affaire DSK nous montrent le type de situations sexuelles consenties vers lequel cette notion de dignité et d'humiliation peut nous conduire. Il en va ainsi des rapports sexuels entre des personnes dont les statuts sociaux sont différents ainsi que de certaines formes de sexualité censées satisfaire le désir machiste, telles que les partouzes, les rapports sadomasochistes, ou encore des postures qui ne semblent pas dignes de la manière dont une femme tire du plaisir, comme le fait d'être aspergée de sperme en plein visage. Comme l'a écrit Nancy Huston dans *Libération*[1] pour expliquer combien il est impossible pour une femme d'exercer librement la prostitution : « Le cul des femmes, c'est privé parce que tous, nous avons démarré notre existence en cellules minuscules dans le tréfonds du ventre d'une femme et sommes jaillis d'un vagin sanguinolent ». Comment pourrions-nous donc le déshonorer ? C'est pourquoi le fait de concevoir le viol comme acte de domination sert en premier lieu à justifier la création des interdictions générales d'entretenir certains types de rapports sexuels consentis au motif que ceux-ci nuiraient à toutes les femmes car ils porteraient atteinte à leur dignité.

Faux consentement dévoilé : le viol

Outre les situations générales dans lesquelles la violence est présumée, le viol est le lieu où chaque femme en tant qu'individu peut exercer ce partage entre le consentement et la vraie liberté. En effet, loin de chercher à pénaliser

---

1. 22 septembre 2011.

ceux qui ont bafoué le consentement, la dénonciation du viol est le lieu où s'exprime la liberté
sexuelle des femmes. En disant « untel m'a
violée », on sépare le consentement de paco-
tille de la véritable liberté. Le fait de revenir
en arrière sur un consentement donné est une
manière de retrouver sa liberté perdue der-
rière les leurres du consentement. L'acte par
lequel on scinde ces deux choses est un acte
d'émancipation. C'est pourquoi la seule condition dans laquelle une femme pourrait mentir,
c'est s'il n'y a pas eu d'acte sexuel. C'est peut-
être l'unique preuve contraire qu'un homme
pourrait apporter lorsqu'une femme l'accuse
de l'avoir violée dans la théorie du viol sexiste.
Mais si un acte sexuel s'est bien déroulé, le
consentement peut être retiré d'une manière
rétroactive, comme une prise de conscience de
sa liberté, de sa domination, et se transformer
ainsi en acte d'émancipation.

Ainsi, sous cette expression du viol comme
acte de domination ultime, on doit entendre,
en vérité, que la qualification d'une relation
sexuelle comme étant contrainte est le pouvoir suprême qu'une femme doit avoir dans
une société juste et qui aspire à l'égalité entre

les sexes. Et ce pouvoir suprême se manifeste au moment d'une plainte pour viol. C'est cette parole qui donc ne peut être contredite, mais doit-être enregistrée comme étant vraie. Accorder un tel pouvoir aux femmes implique de faire du lieu même de leur oppression maximale celui de son propre retournement.

Cela explique l'enthousiasme que ce mouvement manifeste envers la prison tout en se présentant comme étant de gauche et d'avant-garde, et donc hostile aux politiques sécuritaires et répressives que l'on applique à la délinquance ordinaire. À ses yeux, cette vieille machine à punir est la voie royale pour inverser les rapports de force dans la société. C'est ainsi que l'on relie les punitions des uns aux émancipations des autres, que la prison devient le centre des utopies politiques de ce mouvement et que l'on confond l'émancipation des femmes avec la fonction policière, ou plutôt que l'on crée une théorie policière de l'émancipation des femmes.

C'est pourquoi le fait de tenir pour vraie la parole de Nafissatou Diallo n'a pas grand-chose à voir avec la lutte contre la prétendue impunité du viol. Ce n'est pas non plus une affaire de vérité ou de mensonge, mais de pouvoir. Il s'agit de donner aux femmes ce pouvoir suprême sur la liberté des hommes avec qui elles ont entretenu une relation sexuelle de qualifier celle-ci comme étant un viol. Dans un tel cadre, la présomption d'innocence apparaît donc comme une règle sexiste. Elle dénie par son existence même ce pouvoir suprême des femmes dans une société qui aspire véritablement à l'égalité entre les sexes[1].

_____

1. D'un point de vue historique, la revendication d'un tel pouvoir semble une sorte de vengeance. De la même manière que les hommes pouvaient violer les femmes avec une certaine impunité avant la révolution des mœurs, ces dernières devraient pouvoir envoyer les hommes en prison pour viol sans qu'ils aient commis ce crime. Or, compte tenu du fait que ces condamnés sont objets de viols dans les prisons, cette vengeance semble encore plus directe. Ainsi, on peut lire dans le livre de Tristane Banon, *Le Bal des hypocrites* (Vauvert, Au Diable Vauvert, 2011), la phrase suivante : « Oh oui, je voudrais le voir avaler les barreaux d'une cellule et s'étouffer avec. Oh oui, je voudrais que des détenus lui fassent subir, ici ou là-bas, l'humiliation qu'on réserve à ces hommes-là, un peu de cette humiliation que j'ai subie » (p. 53).

Ces théories de la domination sexiste, d'origine américaine, ont commencé à prendre de l'importance en France – en rendant les autres courants du féminisme minoritaires – depuis le milieu des années 1990, et plus précisément depuis le vote de la loi sur la parité (1999) sous le gouvernement de Lionel Jospin. Cette loi supposait déjà que les femmes formaient une population différente de celle des hommes, qu'elles étaient dotées d'une « nature » spécifique et qu'elles étaient soumises à une discrimination et à une violence structurelle, notamment sexuelle. Très vite, à partir de 2000, apparurent les enquêtes et les études sur les violences faites aux femmes, dont la première a été celle menée par Maryse Jaspard, que j'ai déjà évoquée[1]. L'idée selon laquelle les femmes constituaient une minorité opprimée par la violence physique, psychologique et surtout sexuelle des hommes s'imposa de plus en plus dans la pensée féministe et dans les politiques publiques. Cette philosophie politique inspira les deux lois sur les violences

---

1. Voir chapitre 4.

conjugales votées en 2006[1] et en 2010[2]. Qui plus est, les campagnes nationales pour la pénalisation du client de la prostituée, contre la pornographie et les images dégradantes de la femme dans la publicité sont issues de cette théorie.

Or le pas que ce courant du féminisme devenu majoritaire a voulu franchir à l'occasion de l'affaire DSK est bel et bien d'une autre nature que ces projets de pénalisation du client des prostituées. Car si dans un cas on est devant des lois puritaines et liberticides, dans l'autre on peut entrer dans le royaume de la Terreur d'une manière littérale. En effet, le fait que des condamnations aussi lourdes

---

1. Loi du 4 avril 2006 renforçant la prévention et la répression des violences au sein du couple ou commises contre les mineurs.

2. Loi du 9 juillet 2010 relative aux violences faites spécifiquement aux femmes, aux violences au sein des couples et aux incidences de ces dernières sur les enfants. Cette loi instaure entre autres le délit de violences psychologiques, puni de 5 ans de prison. Elle cherche à faciliter les dénonciations des violences conjugales par une série de mesures comme l'éloignement du conjoint violent ou le relogement de la victime.

dépendent de la seule accusation d'une femme aboutirait à l'émergence d'une société impossible et invivable, car non seulement le principe de présomption d'innocence disparaîtrait, mais aussi celui de la légalité des crimes et des peines.

Aux États-Unis, l'influence de ces théories radicales, dont Catharine A. MacKinnon et Andrea Dworkin[1] furent les chefs de file, a produit des décisions judiciaires particulièrement atroces, et les juges furent si critiqués qu'ils durent revenir en arrière. Ainsi, l'État de Pennsylvanie, voulant assouplir le critère de la violence physique pour caractériser l'absence de consentement dans le viol, l'avait redéfini par le fait d'user de force « soit physique, soit morale, soit intellectuelle, soit psychologique ». Cette notion de violence psychologique, synonyme de celle de « sidération » psychique que j'ai déjà évoquée, ouvrait la voie précisément à l'arbitraire le plus total. On en découvrit des

---

1. Catharine A. MacKinnon, *Toward a Feminist Theory of the State*, Cambridge, Harvard University Press, 1989 ; Andrea Dworkin, *Intercourse*, New York, Free Press, 1987.

conséquences fort fâcheuses dans une décision de 1989[1] jugeant une affaire dans laquelle
une jeune fille accusa son petit ami de l'avoir
violée. Surpris un jour en train de s'embrasser dans la maison de la jeune fille par la sœur
aînée de cette dernière, ils allèrent continuer
leurs caresses dans les bois. C'est alors qu'ils
eurent une relation sexuelle. La jeune fille
affirma par la suite qu'elle n'avait pas consenti.
Aucun refus ne put être prouvé, aucun acte
de force, de menace ou de contrainte. Or la
cour d'appel décida que « même si la jeune
fille avait exprimé son consentement », cela
n'empêchait pas cet acte sexuel d'être un viol,
parce que « la victime était psychologique-
ment vulnérable à l'égard de l'accusé » du fait
qu'elle était amoureuse de lui (« *had an adoles-
cent crush on him* »). Le consentement avait été
entaché par la contrainte de l'amour, et le garçon fut condamné à cinq ans de prison. Autant
dire que c'est à la femme de décider si un rapport sexuel consenti fut un viol, et donc de

---

1. Cité par Stephen J. Schulhofer, *Unwanted Sex.
The Culture of Intimidation and the Failure of the Law*,
Cambridge, Harvard University Press, 1998.

qualifier ce rapport par elle-même, sans qu'il soit nécessaire de prouver que son partenaire l'avait contrainte à quoi que ce soit.

Certes, le droit du viol que le féminisme radical voudrait faire advenir en France n'est pas envisageable. Aucun législateur d'un pays démocratique ne pourrait le faire voter du fait du risque d'arbitraire qu'il entraînerait. Il n'empêche que la mobilisation et l'enthousiasme que les thèses qui le sous-tendent ont fait naître à l'occasion de l'affaire DSK pourront donner lieu à une multiplication des interdictions générales des rapports sexuels entre des adultes fondées sur la notion de consentement dominé. En effet, cette idée pourra justifier des règles qui transposeront aux rapports des adultes celles qui s'appliquent entre majeurs et mineurs dans des situations déterminées à l'avance. Ces interdits pourront porter sur les différences de statut ou d'âge entre des partenaires majeurs, ainsi que sur des actes sexuels déterminés tels le sexe de groupe, le sadomasochisme ou d'autres. Ils pourront aussi tenir pour illicites les relations sexuelles entre des personnes liées les unes aux autres par des rapports professionnels. Ainsi, par le biais de l'abus de pouvoir, du consentement « présumé dominé », on pourra interdire un grand nombre de rapports sexuels entre adultes aujourd'hui licites.

Ces transformations seront le tombeau de l'ordre sexuel fondé sur le consentement hérité de la révolution des mœurs des années 1970. Comme si les politiques publiques qui tiennent cet ordre pour dangereux et anarchique étaient en train de se servir de ces théories paranoïaques et liberticides du féminisme radical pour créer une société dans laquelle rien ne sera plus risqué que de s'aventurer à la légère dans une expérience sexuelle.

Pour finir, il faudrait essayer de comprendre comment une théorie aussi irrationnelle a pu rallier les médias français avec autant d'enthousiasme à l'occasion de l'arrestation de DSK.

Épilogue

Des propos sexistes ?

Tout avait commencé par les commentaires à chaud et quelque peu disparates suscités par le choc de la nouvelle extraordinaire. Le dimanche 15 mai 2011, les médias diffusaient les condoléances et les manifestations d'incrédulité des uns, les condamnations morales et les cris d'indignation des autres. Le lendemain proliféraient des commentaires sur les mœurs libertines et les dragues lourdes et insistantes du prévenu. Certains traçaient des ponts entre le libertinage, le harcèlement et le viol. D'autres parlaient d'actes manqués, d'obscures trahisons de l'inconscient d'un homme qui ne voulait pas, au fond, accéder à la magistrature suprême. La veille déjà, certaines personnalités politiques ainsi que des internautes exprimaient des doutes à propos de la véracité de l'accusation de Nafissatou Diallo et évoquaient la possibilité d'un complot, d'un piège dans lequel l'ancien directeur général du FMI serait tombé. Les sondages menés alors montraient que 57 % de la population française adhérait à cette théorie.

Mais, à partir du mardi 17 mai, une réaction vive, homogène et bien structurée prit le contre-pied de toutes ces interprétations pour protester contre les « propos sexistes » qui auraient déferlé dans les médias à la suite de l'arrestation. Très rapidement, cette position allait devenir hégémonique, jusqu'à faire disparaître l'anarchie herméneutique des premiers jours.

Le dimanche 24 mai, une manifestation rassembla à Paris, à côté du centre Pompidou, autour des sculptures de Niki de Saint Phalle, quelques milliers de personnes convoquées par diverses associations féministes. Leurs cris d'indignation furent applaudis, encensés et largement diffusés. Sur leurs pancartes, on lisait « Nous sommes toutes des femmes de chambre », « Le machisme tue des femmes », « Sortons l'homme des cavernes » et bien d'autres slogans qui montraient que ces dames étaient fort en colère contre les propos dégradants et atroces qu'elles avaient lus et entendus. L'association Osez le féminisme fut particulièrement mise en avant dans cette croisade, et sa présidente, la jeune et pure Caroline De Haas, se transforma en l'ange de la honte de la République machiste.

Ceux qui se souviennent de ces jours de mai me diront peut-être que j'exagère, que les propos qui ont été tenus par certaines personnes à l'occasion de cette arrestation exprimaient un véritable mépris pour les femmes. Or il suffit de les examiner avec un peu d'attention pour comprendre que ce n'était nullement le cas.

Deux types de propos furent condamnés. D'abord, ceux qui, tout en relativisant la gravité du viol, ne considéraient pas qu'il s'agissait d'un crime qui ne concerne que les femmes. Ensuite, ceux qui mettaient en avant la présomption d'innocence. En s'opposant aux premiers, on réussit à imposer l'idée que le viol n'est pas un crime contre le consentement, comme le disent nos lois, mais un crime contre les femmes, le plus grave de ce type de crimes. En s'opposant aux seconds, on a cherché à montrer que le principe de la présomption d'innocence, qui constitue l'un des piliers des États de droit, était aussi une règle sexiste, car il sous-entendait qu'une femme qui accuse un homme de viol pouvait mentir. Comme si le crime de viol par sa gravité métaphysique était étanche à ces vices humains si répandus que sont le mensonge, le désir de vengeance, l'intérêt. Mais, ayant déjà attiré votre attention sur ces derniers, je me limiterai ici à analyser les premiers.

Une mise au point

Ce sont les mots de Jack Lang – « Il n'y a pas mort d'homme » – et de Jean-François Kahn, évoquant un « troussage de domestique », dont la répétition et la citation infinie ne cessaient d'alimenter l'indignation et le scandale, qui ont été pris comme le symbole du sexisme structurel et ordinaire de la société française auquel il fallait dire « halte ». Or ces deux phrases qui ont fait retentir tant de cris et couler tant d'encre auraient très bien pu être prononcées si Dominique Strauss-Kahn avait été accusé d'avoir violé un homme et non une femme.

La première phrase compare le viol au meurtre au regard de la caution qui avait été refusée dans un premier temps à l'ancien patron du FMI. La seconde, qui exprime un mépris de classe hideux et ridicule, ôte de l'importance à ce crime lorsqu'il est commis sur des personnes d'un statut social inférieur, et elle peut s'appliquer aussi bien aux hommes qu'aux femmes. Il s'agit donc d'un propos classiste très déplaisant et stupide, mais non pas sexiste.

Or le viol, on ne le sait que trop bien, ne concerne pas seulement les femmes. Les hommes adultes[1] sont eux aussi victimes de ce

---

1. Selon l'enquête CSF (Contexte de la sexualité en France) réalisée en 2006 et publiée en 2008, 20,4 % des femmes et 6,8 % des hommes avaient été confrontés à une agression à caractère sexuel, 9,1 % des femmes et 3 % des hommes avaient subi une tentative de rapport forcé, et 6,8 % des femmes et 1,5 % des hommes un viol dans leur vie. L'enquête CSF rapporte que les femmes déclarent trois fois plus que les hommes avoir été objet d'une agression sexuelle, et quatre à cinq fois plus lorsqu'il s'agit de viols. Les femmes dénoncent 5 % des viols tandis que les hommes en dénoncent 0,6 % : « les hommes taisent ce qui leur est arrivé », « l'obstacle tient peut-être à l'atteinte à la masculinité que représente

crime odieux, et la pédophilie touche autant les petits garçons que les petites filles. Dès lors, les propos attaqués ne peuvent être considérés comme une quelconque expression de mépris à l'égard des femmes. En revanche, cela contredit l'idée selon laquelle ce crime ne concerne, en vérité, que les femmes. Ou, plutôt, l'idée selon laquelle c'est seulement lorsqu'une femme est violée que ce crime est très grave, ou bien que c'est plus grave pour une femme que pour un homme ou un petit garçon. Et, en guise d'explication de cette étrangeté, les féministes ont expliqué, lorsqu'elles se sont scandalisées de ces phrases, que le viol est l'acte de « domination maximale » qu'un homme puisse exercer sur une femme.

Grâce à cette *mise au point*, certains des propos qui condamnaient l'accusé sont apparus comme étant sexistes eux aussi, même s'ils ont suscité des colères moins appuyées car ils avaient au moins la décence de ne pas défendre le monstre. Cette bonne intention méritait plutôt une espèce de claire pédagogie que des

----

ce type d'agression » (cf. Véronique Le Goaziou, *Le Viol*, *op. cit.*, p. 42).

sauts d'exaspération. Ce fut le cas de ceux qui cherchaient à donner de DSK un profil de prédateur, de pervers malade et compulsif. Le seul fait de se représenter les choses de cette manière, ne cessaient de répéter les militantes, est faux et fait donc partie de l'argumentaire sexiste. Un homme qui viole une femme n'est pas un pervers, un malade, car le viol est un acte sexiste et donc ordinaire, massif, constant. C'est l'acte d'un homme quelconque, d'un honnête citoyen, d'un mari, d'un voisin sans histoire ni maladie mentale particulière, même d'un directeur général du FMI. C'est le crime d'un homme en tant que membre d'une classe de dominants.

Ainsi, loin de réagir avec indignation à des propos qui étaient *évidemment sexistes* – selon l'opinion moyenne de la société française –, ces femmes qualifièrent ainsi un ensemble d'expressions qui entraient en contradiction avec une théorie féministe particulière, radicale et qui passait pour extrémiste et marginale jusqu'il y a à peine quelques années. Plus précisément, ces propos contredisaient la théorie du viol comme crime sexiste que ces groupes cherchaient à imposer à l'opinion publique, et

c'est la seule raison pour laquelle ils ont suscité des réactions aussi brutales de leur part.
Comme si, soudain, en s'indignant de ces
phrases, ces militantes avaient réussi à faire
admettre que cette théorie du viol était devenue universelle, indiscutable, et qu'elle devait
devenir l'objet d'un consensus national de la
même manière que l'abolition de l'esclavage
ou le droit de vote des femmes. On comprend alors que les militants et les intellectuels
qui les accompagnaient prirent le ton du rap-
pel plus que celui de l'imposition d'une opinion, d'une théorie parmi d'autres du viol,
de la domination masculine et de l'émancipation des femmes. Et personne n'osa rétorquer
à ces dames et à tous ceux qui les ont immédiatement suivies l'ensemble d'objections que
l'on peut adresser à cette théorie. Les propos
qu'elles avaient entendus et lus les deux premiers jours étaient évidemment « sexistes ».
Désormais, tout autre opinion ou toute interprétation dissidente fut l'objet de blâmes, de
mots indignés et des condamnations publiques
les plus vives.

Cette opération consistant à présenter le viol
comme un crime sexiste avec les conséquences

que j'ai analysées sur la présomption d'innocence fut le véritable *tour de force* de cette réaction médiatique du 17 mai, qui coûta à DSK
son destin politique et peut-être même son
destin tout court. Ni le dévoilement des mensonges de son accusatrice, ni le spectaculaire
revirement du procureur Cyrus Vance Jr, ni le
non-lieu du 23 août n'ont été en mesure d'effacer l'intensité et la densité de cette fracas-
sante défaite. Bien au contraire, comme j'ai
tenté de le montrer, cela n'a fait que les renforcer. Car c'est grâce au fait que Nafissatou
Diallo avait été qualifiée de mythomane que
ces groupes ont réussi à faire admettre l'idée
selon laquelle une femme ne saurait pas mentir
lorsqu'elle accuse un homme de viol.

Très vite sont venus les jours de repentance.
Les journalistes se sont accusés avec une sorte
de honte bien apprêtée d'avoir été complices de
l'omerta, de cette loi du silence qui aboutit au
viol d'une misérable femme de chambre. Et ils
ne cessaient de répéter, en assumant ainsi avec
courage leurs propres responsabilités, que s'ils
avaient averti l'opinion publique des pulsions
criminelles de cet homme, s'ils avaient révélé
qu'il était une sorte de gorille en rut au lieu

de le protéger, on l'aurait peut-être enfermé plus tôt. Et comme jusqu'alors les journalistes n'avaient pas fait leur travail, il était indispensable de s'y mettre, de dire tout ce qu'ils savaient et surtout tout le mal qu'ils pensaient de ce violeur des grands palais. Aux pulsions sexuelles débridées, criminelles et comme sans limites qu'on prêtait à DSK s'ajouta l'étalage médiatique de la fortune tout aussi illimitée de son épouse. Celle-ci lui permettait, au lieu d'attendre son procès dans une prison pourrie comme un présumé innocent digne de ce nom, de se vautrer dans une demeure dorée. Et l'on attendait que la justice américaine en finisse une fois pour toutes avec tant d'iniquités, qu'elle fasse ce que cette France corrompue par son machisme, ses élites, sa classe politique, n'avait pas su faire.

Ceux qui ont vécu de près cette métamorphose étrange et rapide de l'opinion publique sans avoir la chance d'y adhérer – car il est fort agréable de partager les idées majoritaires, cela vous permet au moins de ne pas vous y intéresser – se souviendront toujours de cette espèce de terrorisme moral, de cette police de l'expression et de la pensée qui régna durant ces quelques jours dans les médias traditionnels. Car dans ces vitrines à travers lesquelles la société française est *représentée* d'une manière presque officielle par ses élites, là où les grands consensus « républicains » se nouent et se déclament, il n'y a eu aucune place pour ceux qui croyaient que l'ancien prisonnier pouvait être innocent. L'alternative était de s'aligner ou de se taire, au risque d'être dénoncé et exhibé comme une bête indigne, machiste et corrompue face à l'opprobre public. Ceux qui ne contribuaient pas à mettre à bas cet homme ne montraient ni leur moralité, ni leur intégrité, ni leur sincérité dans la lutte pour l'émancipation des femmes. Pire encore, ils devenaient des agents et des complices des crimes sexistes.

Ainsi, les médias, loin d'avoir joué le rôle qui est le leur dans une société démocratique, se sont contentés de suivre les injonctions du mouvement féministe majoritaire, et ils continuent, hélas, de le faire. Comme si le féminisme était un, comme si ce courant radical, du seul fait d'être devenu dominant grâce à l'appui que les politiques gouvernementales lui accordent, avait le privilège de la vérité. Or il semblerait que le rôle des médias dans une société démocratique soit, au contraire, de permettre l'expression de tous les courants du féminisme, de ne pas admettre qu'un d'entre eux s'en arroge le monopole. Car dans une société comme la nôtre aussi bien les diagnostics à propos de la situation des femmes que les voies les plus aptes à la transformer doivent être l'objet, comme toutes les questions, d'un débat interminable.

Jeter DSK aux orties ou refonder le féminisme français ?

On pourra m'objecter que les critiques que j'adresse à la théorie de la domination sexiste sont correctes, mais que je néglige quelque chose d'évident : les hommes transforment les femmes en des objets sexuels. Et il est difficile de ne pas ressentir le mépris dont une telle attitude s'accompagne. Or voir les choses dans ces termes est une très mauvaise manière de poser le problème. Car ce que nous percevons ainsi n'est en vérité que le mépris du sexe lui-même. Pour les hommes, cette vision dégradée de cet aspect de nos vies fait qu'ils tiennent celles qui incarnent leur désir pour des objets de mépris. On est loin d'être sortis du clivage du désir masculin propre à l'époque victorienne, lorsque les femmes étaient dédoublées en maman et en putain, et qui fait que beaucoup d'hommes ne peuvent pas vivre une sexualité pleine avec les femmes qu'ils respectent et qu'ils admirent.

Chez les femmes, cette vision dégradée du sexe fait qu'elles ont tendance à ne point l'accepter à son état brut, c'est-à-dire sans amour, sans tendresse, sans qu'il soit le résultat d'une vraie séduction, sans une visée d'avenir. Car ce n'est que grâce à ces ajouts que le sexe est à leurs yeux « racheté », sauvé de l'enfer dans lequel nos sociétés l'ont jeté. C'est pourquoi il me semble que la tâche d'un mouvement féministe intelligent devrait être de revaloriser toutes les formes d'expression du sexe, aussi bien celles qui s'accompagnent de tendresse, de longues séductions et de visées d'avenir que celles qui ne cherchent que la seule satisfaction du désir. C'est à cette seule condition que l'on ne pourra plus transformer les objets de désir en objets de mépris.

Cela aurait deux conséquences très importantes. D'abord, nous serions déchargés du poids qui consiste à revêtir nos désirs de sexe des habits de l'amour pour nous le rendre acceptable, cette énorme supercherie qui explique l'extrême instabilité des couples. La revalorisation de toutes les expressions du sexe pourrait ainsi nous apprendre à distinguer une passion sexuelle d'une autre amoureuse et durable, et nous épargner le souci de nous trouver soudain devant quelqu'un avec qui on a déjà fait au passage des enfants sans comprendre comment on a pu l'imaginer un jour comme notre partenaire pour toujours. Cette nouvelle perception de la sexualité pourrait aussi contribuer à ce que les amours durables ne soient plus dissociées du désir. Pour que la femme ou l'homme que nous aimons et que nous admirons ne soit pas par ce seul fait incompatible avec nos fantasmes et nos désirs les plus profonds. Car ce que nous avons tendance à qualifier d'ennui dans les couples stables n'est autre chose que l'approfondissement de la dissociation qui se produit entre la tendresse et le désir. C'est pourquoi la revalorisation de toutes les expressions de la sexualité pourrait être la meilleure manière de donner à l'amour une chance de se développer et de grandir.

Or le féminisme radical qui nous envahit de sa police et de sa haine du sexe depuis quelques années fait exactement le contraire. Qui plus est, il a même fait ressortir le mot « pute » de l'oubli dans lequel la révolution des mœurs l'avait jeté pour qualifier ainsi certaines femmes qui entretiennent des rapports sexuels sans engagement, sans tendresse ni avenir. Par ailleurs, le mouvement féministe qui a eu le plus d'écho dans les années 2000, inspiré de ce courant radical, a pris pour nom « Ni putes ni soumises ». Son but a été de convaincre les jeunes filles des banlieues, accablées par une morale sexuelle familiale répressive, que la meilleure manière de ne pas être une pute était de désigner leur violeur, sans leur faire comprendre, dans le même temps, qu'elles vivent dans une société dans laquelle les femmes ont le droit au sexe. J'ai eu l'occasion de débattre publiquement avec la présidente de cette association il y a quelques années à propos de cette question. Je lui avais dit qu'on ne pouvait qu'appuyer sa démarche consistant à expliquer à ces jeunes femmes qu'il fallait dénoncer l'homme qui les avait violées, mais que cela ne pouvait être dissocié d'une éducation capable de faire contrepoids par rapport à celle qu'elles avaient reçue dans leurs familles à propos de la liberté sexuelle que notre société garantit aux femmes. En bref, leur expliquer que leur « non » devait être la contrepartie d'un « oui » au sexe et non pas l'exutoire d'une morale sexuelle liberticide. Or la présidente de l'association m'avait répondu que les inquiétudes que je manifestais étaient des problèmes d'intellectuelle...

Car ce que le féminisme radical cherche, c'est que le dégoût, la faute, le mépris du sexe, loin de disparaître, soient portés par les hommes, comme jadis ils l'étaient par les femmes. Pour ce faire, il cherche à inverser les rôles des victimes et des bourreaux de la période qui a précédé la révolution des mœurs. Ainsi, la faute de la prostituée se déplace vers son client, celle de la fille facile vers le mâle dominateur, celle de la séductrice vers l'abuseur. L'important, c'est qu'il y ait des figures qui incarnent l'horreur du sexe et qui en payent les conséquences, afin que cette activité soit toujours quelque chose d'exceptionnel, de dangereux, de sale et de difficile. La théorie de la domination sexiste est, comme l'ont été jadis les bonnes mœurs et la morale chrétienne, la justification « rationnelle » de la survie de cette horreur. Les politiques publiques, terrifiées par la possibilité qu'ouvrait la révolution des mœurs de voir le sexe banalisé, se servent du féminisme radical pour justifier la création de règles si répressives que la peur des abus et des châtiments finira par restreindre, comme jamais les sociétés occidentales ne l'avaient fait auparavant, la vie sexuelle des personnes.

Certes, je ne prône pas la débauche comme une sorte d'idéal ou de contrainte sociale. Bien au contraire. Le fait que toutes les formes de sexualité soient valorisées ne signifie pas pour autant que les gens sont contraints de s'y livrer sans réserve. De même, tout un chacun ne s'adonne pas de façon semblable aux activités fort prisées et respectables dans nos sociétés que sont la lecture, le sport, les études ou l'art. Mais ce n'est pas le droit qui nous dicte la manière de le faire, sauf si nous avons la mauvaise idée de voler des livres ou de faire des hold-up dans les musées.

Sortir le sexe des égouts n'a rien à voir avec la promotion d'une idéologie utopique qui ne pourrait fonctionner que dans les phalanstères de Charles Fourier. Il ne s'agit que de réaliser la leçon politique de la révolution des mœurs des années 1970, laquelle a fait du consentement des personnes adultes au sexe le seul critère de sa licéité. Dans un tel contexte, il est évident que le viol doit être tenu pour le crime le plus grave contre la sexualité. Car une société qui fait du consentement le pivot de son ordre sexuel doit tenir le viol pour sa négation même. Non pas le consentement caché et flou des féministes radicales, mais celui que nous dictent nos perceptions ordinaires. Chacun d'entre nous sait parfaitement ce que signifie consentir ou ne pas consentir à un rapport sexuel. Certes, nous entretenons parfois des rapports sexuels avec un partenaire stable pour lui faire plaisir plus que pour nous faire plaisir à nous-même. Mais nous savons que cela n'a rien à voir avec un viol. Nous savons aussi que nous entretenons parfois des rapports sexuels sans grande envie avec un partenaire occasionnel, qui lui se montre très entreprenant, nous nous laissons emporter par son propre désir plus que par le nôtre, et nous savons aussi que cela non plus n'a rien à voir avec un viol. Parfois nous regrettons d'avoir eu un rapport sexuel, de ne pas avoir réfléchi davantage, mais nous savons faire la part entre le consentement que nous avons donné sur le coup et le remords que nous pouvons ressentir par la suite. Le hiatus que tout être humain peut percevoir lorsqu'il regarde son passé entre son consentement et sa vraie liberté est sans doute l'une des questions les plus fascinantes qui s'ouvrent à nous. C'est en triant ces deux notions que les êtres humains se transforment, se connaissent, prennent en charge leur vie. Nous pouvons regretter nos choix passés et essayer de ne plus commettre les mêmes erreurs à l'avenir dans des situations similaires. Mais si pour ce faire nous envoyons quelqu'un en prison – comme le veut la théorie de l'émancipation du féminisme radical –, cela sera non seulement injuste pour le condamné mais aussi contre-productif pour nous. Car faire porter aux autres la responsabilité de nos propres choix lorsque nous les tenons pour erronés les années, les jours ou les heures passées, c'est nous condamner à une éternelle enfance, c'est ne pas assumer les risques, les périls, mais aussi la beauté de cette aventure sans garanties qu'est la vie des humains que nous sommes.

J'espère que ce livre servira à ce que l'affaire américaine DSK ne soit pas instrumentalisée en vue de restreindre nos libertés, comme le voudrait le féminisme majoritaire, mais, au contraire, de les élargir. Qu'il sera un outil grâce auquel les jeunes femmes, mais aussi les moins jeunes, qui ne se sentent pas représentées par ces politiques de haine contre les hommes et contre le sexe puissent créer des organisations féministes alternatives à celles qui existent et dont le nom, tel un remords, pourrait être « putes et insoumises ».

Table des matières

Photocomposition Nord Compo
Villeneuve-d'Ascq

Cet ouvrage a été imprimé
par CPI Firmin-Didot
Mesnil-sur-l'Estrée
pour le compte des Editions Fayard
en décembre 2011

36-57-3221-3/01 - N° d'impression : 109085
Dépôt légal : janvier 2012
Imprimé en France